DAREDEVIL®:

BORN AGA

MILLER • MAZZUCCHEL

MARVEL DELUXE: DAREDEVIL: BORN AGAIN
De *Daredevil* nos 226-233 (enero a agosto de 1986)
Un libro de Panini España, S.A. Redacción y administración: C/ Vallespí, 20. 17257-Torroella de Montgrí (Girona). Telf.: 972 757 411. Fax: 972 757 711. www.paninicomics.es.
Depósito Legal: GI.698-2010. ISBN: 978-84-9885-475-6. (SLUXE037)
Distribución: SD Distribuciones. C/ Sancho de Ávila, 83-89. 08018-Barcelona. Telf.: 933 001 022. Realización: Estudio Fénix. C/Torrent de Can Mariner, 43. 08031 Barcelona
Impresión: Soler. Impreso en España/Printed in Spain

Director de publicaciones: **JOSÉ LUIS CÓRDOBA**. Director editorial de cómics: **ALEJANDRO MARTÍNEZ VITURTIA**. Product Manager: **PONÇ CUFINYÀ**. Editor Marvel: **JULIÁN M. CLEMENTE.**
Responsable de Producción: **JORDI GUINART**

PANINI ESPAÑA
Director general: **LLUÍS TORRENT**. Director de marketing: **JOAN HORTAL**. Director comercial: **ANDREU BUSSOT**. Director de grandes superficies: **ISIDRE GARRIGA**.

GRUPO PANINI
Presidente del Consejo de Administración: **ALDO H. SALLUSTRO**. Director editorial europeo: **MARCO M. LUPOI**. Coordinación editorial Grupo Panini: **LEONARDO RAVEGGI**.
Supervisión: **MARCO RICOMPENSA**. Director artístico: **MARIO CORTICELLI**. Preimpresión: **ALESSANDRA GOZZI.**

DAREDEVIL: BORN AGAIN

RAÚL SASTRE TRADUCCIÓN
ESTUDIO FÉNIX REALIZACIÓN y ROTULACIÓN

PRÓLOGO

NACER OTRA VEZ

Born Again. Nacido otra vez. Así es como muchos creyentes norteamericanos denominan al que ha visto la luz y se ha convertido al cristianismo después de una vida alejada de la fe. Por extensión se puede aplicar a cualquier cambio radical que le sucede a una persona. O en este caso, a un cómic.

Frank Miller logró lo que parecía imposible con esta obra; llevar a cabo ese cambio radical, cuando la gente no lo esperaba. Después de años de guionizar y dibujar *Daredevil*, hasta convertirlo en un referente del cómic moderno, Miller abandonó la colección. Resultaba casi impensable que años después de abandonar al personaje, Miller tuviera algo más qué decir. Algo interesante, claro. Pues bien, no solo volvió, sino que acabó realizando una obra maestra en esta nueva etapa. Al adentrarse en el corazón del héroe y en sus motivaciones, redefinió el cómic de superhéroes de una manera que parecía imposible. A partir de *Born Again* nada volvería a ser lo mismo. Tenemos que remontarnos a los tiempos de **Stan Lee** y **Jack Kirby** para encontrarnos con una revolución similar.

David Mazzucchelli tampoco lo tenía fácil. Con un grafismo inmerso en los estándares del género fue capaz de captar las más finas sutilezas del intenso guión de Miller, al tiempo que reflejó como nadie la fuerza dramática del clímax de la obra. La versatilidad de su estilo fue tal que su manera de abordar la narrativa de *Born Again* abrió las puertas de nuevas maneras de entender el cómic que en breve desembocarían en lo que hoy conocemos como novela gráfica.

No hace falta leer muchas páginas de esta obra para darnos cuenta de que estamos ante una obra genial, trascendente. El lector sabe que está delante de algo más grande que la vida. Y esa es una buena definición de lo que son y lo que significan los cómics de Marvel. Gran parte de esa sensación viene del acierto de Miller y Mazzucchelli, que parten de los elementos básicos del personaje y del género para plasmar sus ideas. Su fuerza no radica en romper con lo establecido sino precisamente en todo lo contrario; en estirar los conceptos, profundizar en ellos, dar una vuelta de tuerca y dejar al personaje, y al género de paso, abierto a posibilidades infinitas. Posibilidades que nacen de captar lo esencial de Marvel y quitarle todo lo accesorio para hacer un producto nuevo a la vez que auténtico.

Daredevil nació de nuevo. Marvel nació de nuevo. El cómic nació de nuevo. Y todo en esta obra. Si esta es la primera vez que lees *Born Again*, créeme, te tengo envidia...

Alejandro M. Viturtia

INTRODUCCIÓN

MUERTE Y RESURRECCIÓN DE MATT MURDOCK

Corría el mes de mayo de 1979 cuando los caminos de Daredevil y **Frank Miller** se cruzaron por primera vez. Por aquel entonces, la colección languidecía en las estanterías de las librerías especializadas, sumiendo en el más profundo olvido los tiempos en que autores de la talla de **Stan Lee**, **Gil Kane,** o **Gene Colan** aportaron ocasionales chispazos de genialidad a la serie regular protagonizada por el Hombre sin Miedo. En un contexto desolador, que parecía presagiar una inminente cancelación, un jovencísimo e inexperto Miller vio la oportunidad de insuflar vida y personalidad a ese abogado invidente llamado Matt Murdock, de modo que tras un fugaz contacto con el personaje –*Peter Parker: The Spectacular Spiderman* #27 y #28–, se aseguró de que sus intenciones llegaran a oídos del Editor Jefe de La Casa de las Ideas. El hecho de que Colan hubiera abandonado su puesto de dibujante regular obligaba a **Jim Shooter** a buscar un sustituto con carácter de urgencia, de forma que finalmente tomó la determinación de conceder una oportunidad al desgarbado veinteañero que llamaba con insistencia a las puertas de su despacho. Inicialmente, Miller se limitó al apartado gráfico de la colección, con **Roger McKenzie** desempeñando las tareas de guionista. Pero a partir de *Daredevil* #168, el historietista natural de Olney (Maryland, EE.UU.; 1957) asumió ambas facetas, dando inicio a la etapa más brillante en la historia del personaje, recopilada en los tomos *Best of Marvel Essential: Daredevil de Frank Miller*.

¿Qué tenían de especial esos tebeos? ¿Cuáles fueron los grandes aciertos de su autor? Puestos a buscar la clave de su excelencia, parece imprescindible señalar la importancia que tuvo el estado crítico en el que se hallaba la colección cuando se hizo con sus riendas. Al haber heredado unas cifras de ventas paupérrimas –reflejo de la ineficacia de cuantos cambios se trataron de practicar sobre el enfoque de la serie–, desde la editorial consideraban casi una quimera la posibilidad de revertir la situación, de forma que ante la desesperada realidad, permitieron que la joven promesa hiciera y deshiciera a su antojo. En un ambiente de libertad creativa muy inusual para las grandes editoriales norteamericanas, Miller echó mano de sus variadas influencias: desde el más áspero género negro, hasta las películas de artes marciales orientales, pasando por los estimulantes mangas procedentes de Japón. Tres ingredientes decisivos en la conformación de la personalísima estética que impregnó toda su etapa: ambientes oscuros, violencia a raudales, y una secuenciación de la acción que por su grado de dinamismo y experimentación se situaba años por delante del trabajo realizado por sus contemporáneos.

Al enumerar los elementos diferenciales de esta etapa, no podemos obviar el aspecto dramático y emocional. Como se encarga de subrayar el propio autor: "Lo que me interesa de la ficción es el drama. Me parece más simple y directo que el lector se identifique con las emociones y conflictos que surgen de un mundo familiar". Evidentemente, ***Daredevil*** parte de un contexto fantástico, interpretado a partir de las claves de la tradición superheroica. Pero Miller optó por recuperar la esencia de los grandes clásicos de la editorial, conocidos por su capacidad de plantear situaciones pegadas a la realidad, reconocibles por los lectores hasta el punto de propiciar un poderoso sentimiento de identificación con el protagonista de turno. Para ello, obligó a Matt Murdock a afrontar desafíos no solo físicos, sino también emocionales, que humanizaban al superhéroe sin que este perdiera ni un ápice de su heroicidad; una serie de conflictos que permitieron el avance fluido de las diferentes líneas argumentales y el enriquecimiento de una caracterización llena de matices. Así, Daredevil pasó de mero comparsa, versión descafeinada y poco carismática de Spiderman, a convertirse en una de las personalidades más complejas y fascinantes del Universo Marvel.

Miller también demostró una gran habilidad a la hora de seleccionar personajes secundarios: nuevas y brillantes creaciones –Elektra Natchios–, intereses románticos recurrentes –Natasha Romanoff, Heather Glenn–, veteranos reformulados –Franklin "Foggy" Nelson, Ben Urich, Bullseye, Kingpin– e invitados especiales –Hulk, Puño de Hierro, Power Man, El Castigador– cuya presencia osciló entre lo ocasional y lo anecdótico, para que la colección mantuviera su condición de "oasis" dentro del complejo universo ficcional de Marvel. En definitiva, una suma de elementos que convirtieron esta etapa en un clásico instantáneo, haciendo a Frank Miller merecedor de inscribir su nombre con letras de oro en la historia del Noveno Arte.

Pero todo lo bueno llega a su fin, de modo que en 1983 el autor abandonó la colección con la intención de dar rienda suelta a su inagotable creatividad a través de diferentes proyectos. Con toda probabilidad, es este el inicio de la etapa más intensa, productiva e inspirada en la carrera profesional del autor, durante la cual colaboró junto a **Chris Claremont** en *Lobezno: Honor* (1982) se embarcó en la arriesgada serie limitada *Ronin* (1983-1984) –homenaje a *El lobo solitario y su cachorro*, de **Kazuo Koike** y **Goseki Kojima**– y sorprendió al mundo con esa obra maestra titulada *Batman: The Dark Knight Returns* (1986), que junto a la posterior *Batman: Año Uno* (1986), reformuló brillantemente el mito del Hombre Murciélago.

Sin embargo, el ambicioso historietista tenía una espina clavada: en su mente bullían ideas para una última historia protagonizada por el personaje que le dio la fama, un tercer acto con el que cerrar el círculo que comenzó a trazar en 1979. Así que siete años después, y para regocijo del *fandom*, un Miller consolidado como estrella del medio comenzó a trabajar en un arco argumental de siete entregas titulado *Born Again* (*Daredevil* #227-233: *Born again*, en su edición original). Para la ocasión, optó por centrarse en el aspecto argumental, cediendo el protagonismo gráfico a quien venía desempeñando funciones de dibujante regular desde el número 206 de la colección: David Mazzucchelli (Providence, EE.UU.; 1960), un joven y talentoso autor que, tras una serie de encargos menores, vio en *Daredevil* la oportunidad de hacerse un hueco dentro del cómic *mainstream*.

Tras tantos años rigiendo el destino de Matt Murdock y su álter ego superheroico de forma concienzuda y exhaustiva, cabía preguntarse si Miller podría abordar al personaje desde ángulos hasta entonces inexplorados. Y la respuesta fue sonora y contundente: aprovechando la excelente caracterización desarrollada durante su anterior etapa, profundizó en temáticas recurrentes en su bibliografía, obligando al héroe (un héroe virtuoso, sacrificado y disciplinado, constantemente sometido a todo tipo de retos que refrendan su valía) a afrontar un desafío que bien podría terminar con su existencia: la muerte metafórica del individuo, a través de la pérdida de los rasgos que integran su personalidad. La degradación social, profesional y psicológica, hasta el punto de aproximarse a la anulación –casi destrucción– del ser. Una travesía por el desierto, una obligada estancia en el Purgatorio, con vistas a expiar pecados y a librarse de la pesada carga de la culpa. Un reto que, en definitiva, solo podía finalizar de dos modos: con la muerte del héroe –no necesariamente en el sentido metafórico al que hacíamos referencia con anterioridad– o con su recuperación definitiva, haciendo buena la máxima según la cual "lo que no te destruye, te fortalece". ¿Y a quién señalar como responsable de este particular *via crucis* padecido por el protector de la Cocina del Infierno? Como no podía ser de otro modo, a Wilson Fisk, más conocido como Kingpin. El temido "Reyezuelo" del crimen neoyorquino que, en un intento por orquestar la venganza definitiva contra su gran enemigo, se aprovecha de una vieja conocida de Matt Murdock: Karen Page, quien en una historia de claras reminiscencias bíblicas se convierte en la personificación de Judas.

La trama y el contexto planteados permitieron a los autores analizar con calma y detenimiento uno de los aspectos más curiosos del personaje: las contradicciones en las que incurre constantemente que, paradójicamente, no restan coherencia, sino que dotan de complejidad a su caracterización. Desde su primera etapa, Miller rehuyó concepciones maniqueas; obvió visiones sesgadas que habrían teñido de blanco y negro su pequeño rincón del Universo Marvel para centrarse en los grises, en los matices del comportamiento humano, en transmitir la sensación de que el delicado equilibrio vital y emocional de Matt, el castillo de naipes en el que se había convertido su vida, podía derrumbarse en cualquier momento. No en vano, hablamos de un personaje que de día ejerce como abogado –respetando la legislación vigente y el imperio de los tribunales –y por la noche se convierte en un vigilante que impone su propia noción de justicia. Por si ello fuera poco, las raíces católicas del personaje chocan frontalmente con el disfraz y el apodo empleados en su lucha contra el crimen, reminiscentes del mismísimo Diablo...

No es este, ni mucho menos, un tema menor: en el proceso de deconstrucción y posterior reconstrucción del héroe, Miller recurre de forma reiterada a la iconografía católica, dando a Mazzucchelli la posibilidad de plantear páginas memorables, como ese precioso homenaje a la *Pietà* de **Miguel Ángel**. Pero también recurre a la terminología religiosa para establecer paralelismos y metáforas entre los títulos de los diferentes capítulos que integran esta obra ("Apocalipsis", "Purgatorio", "¡Paria!", "Nacer otra vez", "Salvado", "Dios y Patria", y "Armageddon") y las fases de la odisea vital a la que se enfrenta Matt. Referencias que se alejan de la gratuidad para establecer el perfecto contexto y ambientación en el cual desarrollar esta aventura.

Tras *Daredevil: Born Again*, y su posterior colaboración en *Batman: Año Uno*, Frank Miller y David Mazzucchelli siguieron caminos muy diferentes: Miller continuó acrecentando su leyenda con tebeos de la talla de *Elektra: Asesina*, *Sin City*, *300*, o *Batman: The Dark Knight Strikes Again*, entre otros, permitiéndose incluso alguna que otra aventura cinematográfica (*Sin City* y *Will Eisner's The Spirit*). Por su parte, Mazzucchelli compatibilizó su puesto como profesor asociado en la Rhode Island School of Design y la New York School of Visual Arts con una evolución del realismo clásico inicial, a la más ambiciosa experimentación, tendente a la economía de trazo y la abstracción. Una sorprendente mutación estilística plasmada en obras de corte personal e independiente, como la antología *Rubber Blanket*, *Ciudad de Cristal*, o la aclamada *Asterios Polyp*. En cualquier caso, siempre quedará en el recuerdo la sinergia de talentos plasmada en las páginas de *Daredevil: Born Again*. La perfecta compenetración de dos genios cuya interacción posibilitó el nacimiento de un clásico que 24 años después conserva su vigencia y frescura intactas.

Así pues, el lector está a punto de disfrutar de un tebeo para el recuerdo. De conocer de primera mano cómo y por qué Matt Murdock vivió sus momentos más duros. De averiguar si finalmente el héroe logra emerger victorioso de semejante situación. Y de comprobar el verdadero significado de la frase según la cual "un hombre sin esperanza es un hombre sin miedo"...

David Fernández

Daredevil # 227
Ilustración de cubierta
Dibujo y Color: David Mazzucchelli.

HOY HACE CALOR, COMO TODOS LOS DÍAS. COMO LOS DOS ÚLTIMOS AÑOS.
DOS AÑOS... DESDE QUE ESA OBRA MAESTRA DEL SÉPTIMO ARTE SE CONVIRTIÓ EN OTRO FRACASO QUE YA NO RECUERDA NADIE...
...SÍ, ESTOY SEGURO DE QUE HE VISTO ALGUNAS DE TUS PELIS. TIENEN MUCHO ÉXITO EN LAS DESPEDIDAS DE SOLTERO.
¿CÓMO DECÍAS QUE TE LLAMABAS?
KAREN. KAREN PAGE.
ES SOLO OTRO DÍA MÁS. PERO ESTE TIENE UN ALGO ESPECIAL. YA QUE UNA NO VENDE SU ALMA TODOS LOS DÍAS.
¿CÓMO PUEDES PENSAR ASÍ? MADURA. SON LOS OCHENTA. UNA HACE LO QUE TIENE QUE HACER.
Y ESTO TIENES QUE HACERLO...
MIRA, ESTA INFORMACIÓN VALE MUCHO.
LLÉVALA A ESTADOS UNIDOS, Y TE PAGARÁN UN MILLÓN POR ELLA.
UNA CHICA PUEDE DECIR MUCHAS COSAS CUANDO TIENE EL MONO. PERO ESTOY DISPUESTO A ESCUCHAR...
¿QUIERES UN TRAGO? NO, NO CREO... QUIERES COLOCARTE PERO NO CON ALCOHOL, SINO CON OTRA COSA...

SE TRATA DE DAREDEVIL, ¿EH? VALE, YA LO HE DICHO.
PERO TIENE OTRO NOMBRE, QUE ESTÁ ESCRITO AQUÍ MISMO. ¿LO QUIERES O NO?

SEIS SEMANAS DESPUÉS, SIGUE HACIENDO CALOR...
TE HA IDO MUY BIEN GRACIAS A ESOS CONTACTOS QUE HAS HECHO DE LA COSTA ESTE, TONIO. TODO ESTO ES ALUCINANTE.
NO ES COMO ANTES.
ANTES, NOS SOBRABA EL TIEMPO A ESPUERTAS, RALDO. AHORA, SOLO TENGO CINCO MINUTOS...
SÉ QUE TU TIEMPO ES MUY VALIOSO, TONIO... PERO LO QUE TE TRAIGO MERECE MUCHO LA PENA.
SE TRATA DE LA IDENTIDAD SECRETA DE DAREDEVIL...
TE LA ESTÁS JUGANDO, RALDO.
QUÉ VA. ESTA... INFORMACIÓN ES BUENA, TÍO...
...MUY PRONTO, EN UN LUGAR, DONDE HACE MUCHO MENOS CALOR...
LOS RESULTADOS SON BUENOS, CABALLEROS, PERO NO ME BASTAN. DEBEMOS EXPANDIRNOS MÁS RÁPIDAMENTE A TRAVÉS DE NEGOCIOS LEGALES, QUE TIENEN QUE CONVERTIRSE EN LA COLUMNA VERTEBRAL DE NUESTRA ORGANIZACIÓN.
PUEDEN IRSE.
EH... DISCULPE, SEÑOR...
NO HAY UN SOLO HOMBRE EN CUBIERTA QUE NO DÉ UN RESPINGO CUANDO STILLSON DECIDE HABLAR. BUENO, SÍ, HAY UNO...
...AUNQUE NADIE SABE SI ENTRA EN LA DEFINICIÓN DE LA PALABRA "HOMBRE"...
HE RECIBIDO CIERTA INFORMACIÓN PROCEDENTE DE MÉXICO QUE...

...LO LLAMAN KINGPIN, EL REY DEL CRIMEN... UN TÍTULO QUE LO DEFINE MUY BIEN. MEJOR QUE CUALQUIER OTRO.
ES EL JEFE DE TODO NEGOCIO SUCIO QUE GENERE DINERO EN CASI TODO EL MUNDO LIBRE...

...BUENO, MI PRIMO MEXICANO... TONIO... ME... YO NO LE HABRÍA DADO IMPORTANCIA, PERO COMO ORDENÓ QUE ESTUVIÉRAMOS ATENTOS A CUALQUIER COSA RELACIONADA CON ESTE TEMA.
UN CAMELLO MEXICANO AFIRMA HABER CONOCIDO A UNA ANTIGUA NOVIA DE DAREDEVIL. UNA QUE TUVO CUANDO DEBÍA DE SER MUY JOVEN. DICE QUE LE VENDIÓ SU NOMBRE POR UNA DOSIS DE DROGA...

...SU NOMBRE REAL, YA ME ENTIENDE...
LE ENTIENDO. DEME ESO.
AUNQUE PROCURAN MANTENER LA DIGNIDAD Y NO DAR LA IMPRESIÓN DE SENTIRSE INTIMIDADOS, TODOS SE MARCHAN RÁPIDO, SIN QUE HAGA FALTA QUE LO ORDENE.

SALVO WESLEY, CLARO ESTÁ. ÉL SIEMPRE SE QUEDA PARA RECIBIR LAS ÚLTIMAS ÓRDENES.
POR ESO TODO EL MUNDO ES TAN AMABLE CON WESLEY.
DI AL CAPITÁN QUE VOLVEMOS A NUEVA YORK.
LOCALIZA A TODO AQUEL QUE HAYA TOCADO ESTE SOBRE... O HAYA HABLADO CON ALGUIEN QUE LO HAYA TOCADO... Y AGUARDA A QUE DÉ LA ORDEN DE MATARLOS.

MIENTRAS TANTO...
...COMPROBARÉ LA INFORMACIÓN.
PASAN SEIS MESES.

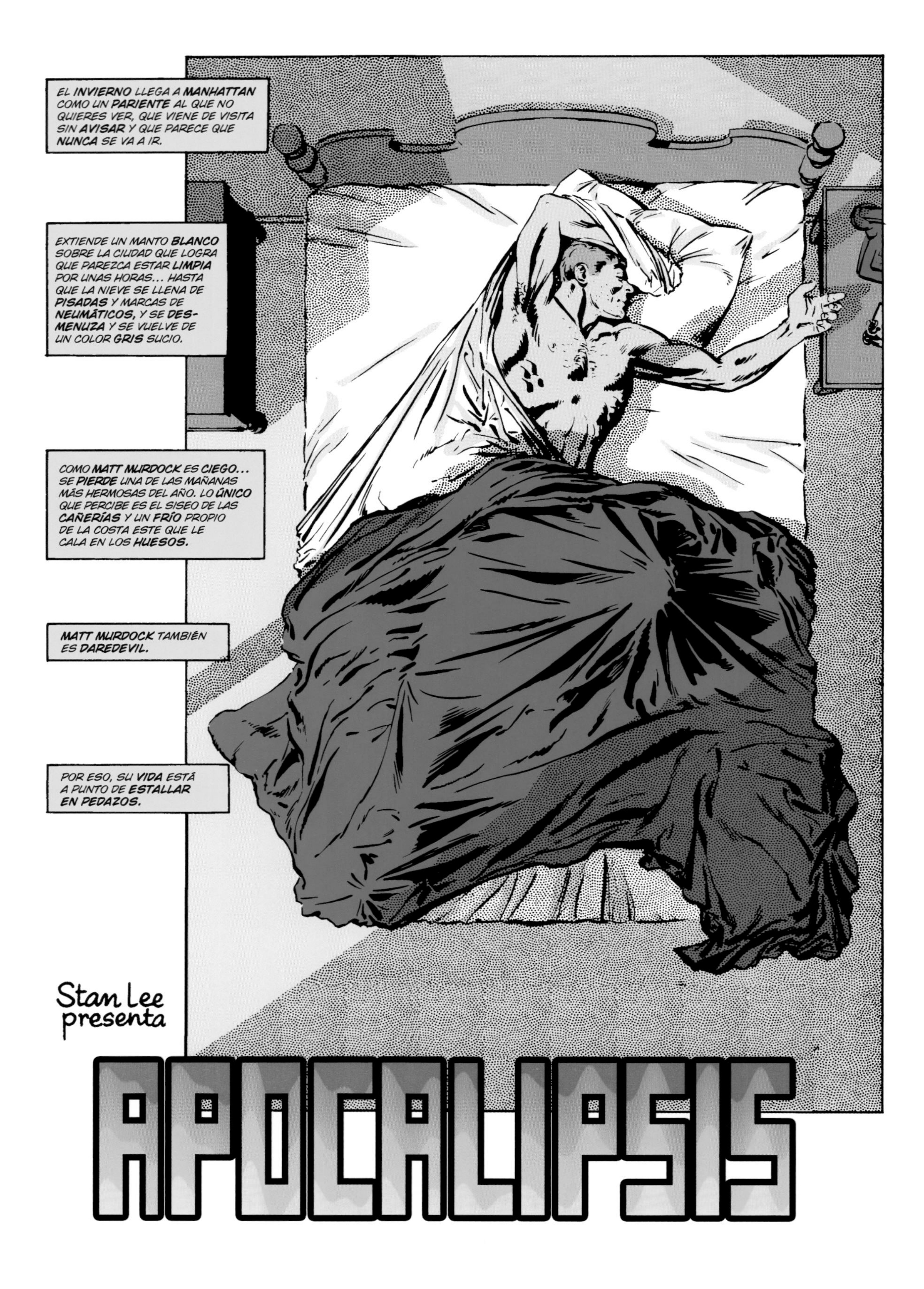
EL INVIERNO LLEGA A MANHATTAN COMO UN PARIENTE AL QUE NO QUIERES VER, QUE VIENE DE VISITA SIN AVISAR Y QUE PARECE QUE NUNCA SE VA A IR.
EXTIENDE UN MANTO BLANCO SOBRE LA CIUDAD QUE LOGRA QUE PAREZCA ESTAR LIMPIA POR UNAS HORAS... HASTA QUE LA NIEVE SE LLENA DE PISADAS Y MARCAS DE NEUMÁTICOS, Y SE DESMENUZA Y SE VUELVE DE UN COLOR GRIS SUCIO.
COMO MATT MURDOCK ES CIEGO... SE PIERDE UNA DE LAS MAÑANAS MÁS HERMOSAS DEL AÑO. LO ÚNICO QUE PERCIBE ES EL SISEO DE LAS CAÑERÍAS Y UN FRÍO PROPIO DE LA COSTA ESTE QUE LE CALA EN LOS HUESOS.
MATT MURDOCK TAMBIÉN ES DAREDEVIL.
POR ESO, SU VIDA ESTÁ A PUNTO DE ESTALLAR EN PEDAZOS.
Stan Lee presenta
APOCALIPSIS

DAREDEVIL... ESE NOMBRE RETUMBA EN LA SALA DE TORTURAS QUE HOY ES SU MENTE... Y SI BIEN NO ES UNA SENSACIÓN MUY RECONFORTANTE, AL MENOS, ES REAL.
EL RESTO DE SU SER SE HALLA AÚN TAN LEJOS...

"NO BEBO", PIENSA. "ANOCHE NO BEBÍ."
"ESTO PARECE UNA RESACA PERO NO LO ES."
"DAREDEVIL..."

"...SOY UNA VÍCTIMA, ESO ES LO QUE SOY, Y TAMBIÉN DAREDEVIL. UNA VÍCTIMA DE LA RADIACIÓN...
"...QUE ME PROPORCIONÓ ESTOS CUATRO SENTIDOS SOBRE-HUMANOS..."
"...Y ME ARROJÓ A UN MUNDO CUBIERTO POR UNA OSCURIDAD ETERNA."

"YO NO LO PEDÍ. PERO ME CONVERTÍ EN DARE-DEVIL. Y AHORA COM-BATO EL CRIMEN."
"EN ESE SENTIDO, HE HECHO MUCHO BIEN EN MI VIDA."

"ESCUCHO LOS PITIDOS Y CHILLIDOS AHOGADOS DE UNA CIUDAD CASCA-RRABIAS QUE SE HA VUELTO AÚN MÁS CASCARRABIAS. DE TODOS MODOS, LOGRO DESPEJARME UN POCO."
"¿POR QUÉ ME HE LEVAN-TADO ESTA MAÑANA?"
"NO TENGO NINGUNA CITA. NI SIQUIERA TENGO TRABAJO."
"Y SERÁ MEJOR QUE DEJE DE COMBATIR EL CRIMEN HASTA QUE SE ME CUREN LOS NUDILLOS."
"UNA TENUE Y GÉLIDA CORRIENTE DE AIRE ME ROZA LA PANTORRILLA..."

"...AÚN NO SE HA DEBIDO DE CORRER LA VOZ DE QUE EL MEJOR ABOGADO DESDE IRONSIDE ESTÁ DISPONIBLE."

"ES SORPRENDENTE LO QUE TARDAN EN CIRCULAR LAS NOTICIAS CUANDO UNO REALMENTE DESEA QUE SE ENTERE TODO EL MUNDO."

"...Y UN AVISO DE HACIENDA DE QUE ESTÁN REVISANDO MIS DECLARACIONES Y QUE HASTA EL ÚLTIMO CÉNTIMO QUE POSEO VA A QUEDAR BLOQUEADO HASTA QUE LA AUDITORÍA CONCLUYA."

¡MATT, SOY GLORI...!
...LLEVO DÍAS LLAMÁNDOTE Y NO ME COGES...
HOLA, SYD. SOY MATT.
ACABO DE RECIBIR UN AVISO DE HACIENDA...

...NO PARECES ESTAR MUCHO EN CASA ÚLTIMAMENTE... BUENO, O AL MENOS NO LO ESTÁS PARA MÍ...
ES QUE... ¿QUÉ...? ¿QUÉ QUIERES DECIR, SYD? HAS SIDO MI ASESOR DURANTE... NO PUEDES...
...NO PUEDES HABLAR EN SERIO, SYD... ¿CÓMO QUE TE HE MENTIDO? SYD, LO TENGO TODO EN REGLA...

...QUIZÁ ESTA NO SEA LA MEJOR FORMA DE DECÍRTELO, MATT, YA QUE SÉ QUE ESTÁS PASANDO UNA MALA RACHA...
¿...SÍ? ¿OYE?
...PERO SE ME HA AGOTADO LA PACIENCIA, MATT. ME TRATAS TAN MAL QUE...
...SE ACABÓ. QUIZÁ SI ME HUBIERAS DEJADO AYUDARTE A SUPERAR TUS PROBLEMAS... DE TODOS MODOS... ME...
...ME GUSTARÍA QUE NO HICIERAS LAS COSAS MÁS DIFÍCILES DE LO QUE YA SON. LO... LO QUE QUIERO DECIR ES QUE PREFERIRÍA QUE NO ME LLAMASES...
NOK NOK

"ES UNA CITACIÓN. REQUIEREN QUE ME PRESENTE EN UNA VISTA QUE SE CELEBRARÁ ANTE EL GRAN JURADO..."
"...PERO NO COMO TESTIGO."

UNA HORA DESPUÉS, EN LA PARTE ALTA DE LA CIUDAD...
ERES UN APESTADO, MATTHEW.
MI REPUTACIÓN CORRE PELIGRO POR EL MERO HECHO DE HABLAR CONTIGO.

SI TE HUBIERA ACUSADO CUALQUIER OTRO POLI... CUALQUIER OTRO, MATTHEW...
...PERO NICHOLAS MANOLIS TIENE VEINTE AÑOS DE EXPERIENCIA Y UN EXPEDIENTE IMPECABLE...
CONOZCO SU CURRÍCULUM.

DIOS ME LIBRE DE JUZGARTE. PERO AQUÍ TENGO UNA DECLARACIÓN JURADA DEL TENIENTE MANOLIS...
...DONDE AFIRMA QUE TE VIO SOBORNAR A UN TESTIGO PARA QUE COMETIERA PERJURIO EN EL CASO HENDRICKS.
NO ME PUEDO CREER QUE NICK MANOLIS HAYA HECHO ESTO... DEBE DE HABER ALGUNA RAZÓN...

NUNCA HEMOS TENIDO ESTA CONVERSACIÓN, MATTHEW.
Y NI SE TE OCURRA HOSTIGAR A MANOLIS. NO SERÍA LO MÁS CONVENIENTE...

QUE TENGA UN BUEN DÍA.
NO ME PROVOQUE...

LA NOCHE CAE CON RAPIDEZ...

...EL TRÁFICO ESTÁ IMPOSIBLE POR CULPA DE LA NIEVE. PERO HE VENIDO LO MÁS RÁPIDO POSIBLE.
POR CIERTO, NO DEBERÍAS DEJARTE LA PUERTA ABIERTA, GLORI.

NO ES...
¡GLORI!

OH, NO...
SE LO HAN LLEVADO TODO, FOGGY... HAN ENTRADO EN MI CASA Y SE LO HAN LLEVADO TODO...
¿QUÉ CLASE DE GENTE ES CAPAZ DE ALGO ASÍ...?

ODIO ESTA CIUDAD... LA ODIO... ME ATERRORIZA MÁS QUE BELFAST CON SUS BOMBAS Y TODO LO DEMÁS...
HAN DESTROZADO MIS FOTOS, FOGGY. ¿QUÉ CLASE DE GENTE...?
ESTÁS SANA Y SALVA, GLORI. Y ESO ES LO MÁS IMPORTANTE. VAMOS... TE PREPARARÉ UN CAFÉ...

NO, AQUÍ NO... CON TODO ESTO ROTO Y TIRADO POR EL SUELO... NO PUEDO...
...QUEDARME AQUÍ ESTA NOCHE...

Me llamo BEN URICH, y soy PERIODISTA.
Me encuentro trabajando de NOCHE en la redacción de un gran periódico metropolitano cuando una NOTICIA BOMBA cae sobre mi mesa.
Pero sin una mecha que SISEA. Solo es un PAPEL que cruje en MANOS de Robertson...
COMPRUEBA ESTA NOTICIA POR MÍ, BEN.
CLARO. TENGO TIEMPO DE SOBRA.
Adopta la forma de un CABLE de Associated Press...
...que dice que MATT MURDOCK ha sido acusado de una serie de delitos. Entre ellos: soborno, perjurio y mala praxis.
MATT MURDOCK es el hombre más HONESTO que conozco.
MATT... SOY BEN. ME HE ENTERADO DE...
"No tengo ninguna declaración que hacer a la prensa", me responde un extraño.
MATT.. ESTO ES EXTRAOFICIAL... SABES QUE PUEDES CONFIAR EN MÍ...
Se ríe con un sonido parecido al del hielo quebrándose.
MATT... SOY TU AMIGO, ¿RECUERDAS?
Se ríe. Y me cuelga.
Esa RISA parece retumbar aún por toda la redacción mientras intento relacionarla con el hombre que me salvó la VIDA.
Me preocupa... aunque sé que es INOCENTE...

"EL BANCO INSISTE EN QUE NO LES HE PAGADO."
"AMENAZAN CON EMBARGARME."
"PIERDO LOS ESTRIBOS, LES GRITO Y ME CUELGAN EL TELÉFONO."

"SACO LA CHEQUERA Y RECORRO CON LOS DEDOS LAS HENDIDURAS QUE DEJA LO ESCRITO SOBRE EL PAPEL. RELLENÉ LOS CHEQUES CON BOLÍGRAFO A PROPÓSITO... YA QUE DEJA UNAS MARCAS MUY FÁCILES DE LEER."
"RELLENÉ BIEN LOS CHEQUES. A TIEMPO, COMO TODAS MI FACTURAS."
"PERO NO HAY NI RASTRO DE ELLOS EN MIS PAGOS MENSUALES."
"EL BANCO NO LOS HA COBRADO."

"QUIZÁ SE PERDIERON EN CORREOS."
"HACIENDA HA BLOQUEADO MIS CUENTAS. ¿CÓMO VOY A...?"
"ODIO EL DINERO..."

"EN LA CALLE, LA NIEVE SE HA CONVERTIDO EN UNA AGUANIEVE QUE INTENTA DESCONCHAR LAS PAREDES QUE ME RODEAN."
"UNA ENERGÍA INDEFINIBLE E INDÓMITA FLUYE A TRAVÉS LA CIUDAD, Y SE ME ACELERA EL PULSO COMO UN TIMBAL AFRICANO EN LA JUNGLA."

"SIEMPRE ME HA ENCANTADO LA NOCHE. ME ATRAE."
"ENTONCES, COJO ESTE MONTÓN LIVIANO DE ROPA... QUE REPRESENTA LA ÚNICA PARTE DE MI VIDA QUE AÚN MERECE LA PENA VIVIR..."

"...ES MI ÚNICA VÁLVULA DE ESCAPE..."
"...CUANDO YA NO AGUANTO MÁS."

"ME SALUDA CON UNA RÁFAGA DE VIENTO Y UN RUGIDO FURIOSO E INFINITO."

"MURMURA PURA ENERGÍA Y ME HACE COSQUILLAS EN LAS PIERNAS CON MIL DEDOS QUE QUIEREN ACARICIARME..."

"...SE RÍE DE MÍ, Y ME ARROJA A LA CARA UNA RÁFAGA DE HUMO NAUSEABUNDO..."
"...ME TIENDE TRAMPAS CON SUS PIEDRAS RESBALADIZAS..."
"...HACE VIBRAR SUS VENTANAS DE PLACER MIENTRAS ME MUEVO ANTE ELLAS, Y SIENTO SU CALOR..."

QUÉ TIEMPO MÁS ASQUEROSO, ¿EH?
JO, PERO SI PARECE QUE AYER ERA AÚN OTOÑO.
AYER ERA OTOÑO, FOGGY.

SUPONGO QUE SÍ. ¿QUIERES MÁS DESCAFEINADO?
SI TOMO MÁS, VOY A REVENTAR.
FOGGY... APRECIO MUCHO LO QUE ESTÁS HACIENDO POR MÍ. CUANDO LLEGUÉ A CASA... Y VI LO QUE... ME SENTÍ COMO SI NO TUVIERA A NADIE A QUIEN RECURRIR EN EL MUNDO.

NO DEBERÍAS SENTIRTE ASÍ, GLORI.
LA VERDAD ES QUE EL PRIMER NOMBRE QUE ME VINO A LA CABEZA FUE EL TUYO. Y AQUÍ ESTOY. CALENTITA Y A GUSTO.
MIRA, YA NI SIQUIERA TIEMBLO... CREÍ QUE NUNCA IBA A DEJAR DE TEMBLAR...

TOMA... CÓGEME DE LA MANO...

MIRA QUÉ HORA ES...

...SERÁ MEJOR QUE NOS ACOSTEMOS...

...ME PIDO EL SOFÁ.

"SE ESTREMECE AL ESCUCHAR ESE NOMBRE. HUELO SU SUDOR Y DESTILA CULPABILIDAD."

"POR MUY DURO QUE SEA, PODRÍA SACARLE LA VERDAD A GOLPES."
"PODRÍA RECURRIR A LA TORTURA..."
FAPP
SKRUNCHH
CORN FLAKES
"SE LO MERECE..."
TE HE DICHO QUE SALGAS DE MI CASA...

KLIK
WHRRR
KLIK
WHRRRR

SE HA PRESENTADO... SÍ, DAREDEVIL. HE REACCIONADO COMO ME PIDIÓ.
SOBRE MI HIJO... LOS MÉDICOS DICEN QUE NECESITA ESE TRATAMIENTO YA...

"SIGUE HABLANDO UN BUEN RATO... SOBRE SU HIJO. LES ASEGURA QUE DIRÁ CUALQUIER COSA, LO QUE QUIERAN, EN LA VISTA."
"UNA VERSIÓN SINFÓNICA DE LA BANDA SONORA DE 'KOJAK' ALCANZA SU PUNTO ÁLGIDO, Y NO PUEDO ESCUCHAR LA VOZ DE QUIÉN HAY AL OTRO LADO DEL TELÉFONO."
"Y COMO NI LA MÚSICA DE ASCENSOR NI LOS LLORIQUEOS DE NICK ME SON FÁCILES DE DIGERIR..."

"...LO DEJO A MERCED DE SU CONCIENCIA Y SU SENTIMIENTO DE CULPABILIDAD."
"HE DESCUBIERTO BASTANTE... ALGUIEN INTENTA ACABAR CON MATT MURDOCK. ALGUIEN QUE SABE CÓMO HAY QUE MANIPULAR A LA GENTE ADECUADA."
"PERO, ¿QUIÉN? ¿POR QUÉ?"
"ME VOY A CASA. SEGÚN PARECE, ES EL ÚNICO LUGAR DONDE ESTOY A SALVO..."

"SIN EMBARGO, CUANDO INTENTO PREPARAR LA CENA, ME DOY CUENTA DE QUE NO HAY ELECTRICIDAD."

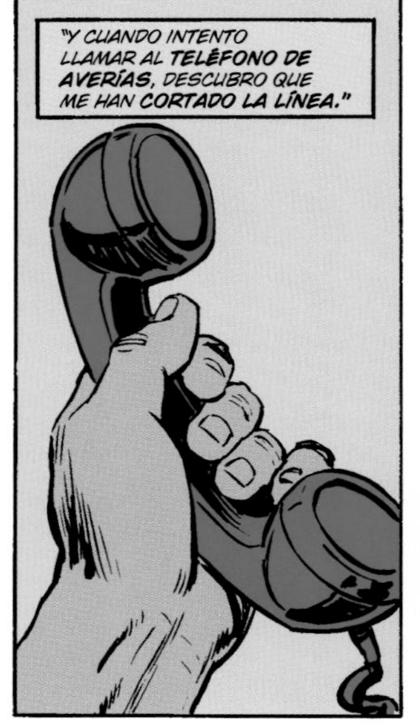
"Y CUANDO INTENTO LLAMAR AL TELÉFONO DE AVERÍAS, DESCUBRO QUE ME HAN CORTADO LA LÍNEA."

"VAYA DÍA."

ESTA MAÑANA, LO PRIMERO QUE SIENTE FOGGY NELSON AL DESPERTAR ES UN DOLOR IRRITANTE EN EL COGOTE...
...DEL QUE SE OLVIDA EN CUANTO PERCIBE EL OLOR A BEICON FRITO...

...HUEVOS...
...Y TORTITAS.
FOGGY PIENSA QUE HA MUERTO Y HA SUBIDO AL CIELO.

SEGURO QUE SÍ, PORQUE VE A UN ÁNGEL.
ELLA LO MIRA DE REOJO, Y ÉL PERCIBE SU SONRISA ANTES DE VERLA.
ELLA NO DICE NADA.

RINGG

RESIDENCIA NELSON.
HOLA, MATT... NO, NO HAS MARCADO EL NÚMERO EQUIVOCADO... AHORA SE PONE...

¡MATT! ¡HOLA! ESCUCHA, ANOCHE OCURRIÓ ALGO MUY RARO...
¿QUÉ? APENAS TE OIGO, MATT. ¿DÓNDE...? ¿EN UNA CABINA? ¿A ESTAS HORAS...?

¿QUÉ...? ¿EL GRAN JURADO, DICES? NO, NO LO SABÍA...
AY, DIOS. AY, DIOS.

LAS SIGUIENTES SEMANAS SON UNA **AGONÍA** PARA MATTHEW MURDOCK.
"SE **RETUERCE** COMO UNA **MOSCA** EN UNA **TELARAÑA"** PIENSA **KINGPIN**. "EN UNA TELARAÑA QUE **YO...**"
"...HE TEJIDO **CUIDADOSAMENTE** Y HE **COLOCADO** CON ESMERO."

SU TOPO EN LA **BIBLIOTECA DE DERECHO** INFORMA AL SEÑOR DEL CRIMEN DE QUE MURDOCK SE PASA AHÍ **DÍAS Y DÍAS** TRABAJANDO CON SU SOCIO SIN DESCANSO, EN UN VANO **ESFUERZO** POR HALLAR UNA ESTRATEGIA DE **DEFENSA** FRENTE A LA TRAMPA **PERFECTA...**

UNAS **FOTOS** TOMADAS A **GRAN DISTANCIA** (YA QUE **IGNORAN** AÚN CON QUÉ TIPO DE **PROTECCIÓN** CUENTA) **MUESTRAN** EL DETERIORO FÍSICO DE MURDOCK A TRAVÉS DE UNA SUCESIÓN DE INSTANTES CONGELADOS EN EL TIEMPO...

...PERO LO MEJOR SON LAS **NOCHES. DELINCUENTES** DE TRES AL CUARTO, QUE ACTÚAN **COMO NERVIOS PERIFÉRICOS** DEL SEÑOR DEL CRIMEN, LE INFORMAN DE LOS ATAQUES, CADA VEZ MÁS **VIOLENTOS Y ABERRANTES**, QUE REALIZA UN **GUERRERO** CUYOS **PUÑOS** NO SIRVEN DE NADA ANTE EL CORROSIVO **VENENO** QUE EMPONZOÑA SU VIDA...

...UNOS ATAQUES QUE ALCANZAN SU CENIT CON UN EPISODIO MUY **ESCLARECEDOR**.
"EL INCIDENTE TIENE LUGAR EN UN **BAR**, AL LADO DEL MUELLE... UNO QUE SUELE **FRECUENTAR** PARA OBTENER **INFORMACIÓN** DEL ESCALAFÓN MÁS BAJO DE MI ORGANIZACIÓN."
"UN BAR EN EL QUE ENTRA COMO UN **PORDIOSERO** FURIOSO... A LO **LOCO** Y SIN NINGUNA **ESTRATEGIA...**"

"...SE SIENTE CONFUSO, Y LO DESTROZA TODO..."
¡MATT MURDOCK!
¿QUIÉN ME VA A HABLAR SOBRE MATT MURDOCK?

"NADIE LE DICE NADA QUE MEREZCA LA PENA. NADIE PUEDE DECÍRSELO, SALVO YO."
"YA QUE MI PLAN SOLO LO CONOCEN UN GRUPO MUY REDUCIDO DE MIS LUGARTENIENTES, Y CADA UNO DE ELLOS CONOCE ÚNICAMENTE UNA PEQUEÑA PARTE DE MI ESTRATEGIA."
"HE DADO ORDEN DE QUE TODOS LOS QUE CONOZCAN SU VERDADERA IDENTIDAD... DESDE STILLSON A KAREN PAGE... DEBEN MORIR."

"SÍ, DAREDEVIL ES MATTHEW MURDOCK... PERO ESO NO ES LO MEJOR..."
"...ALGO SE QUEBRÓ HACE TIEMPO EN SU MENTE, Y ESA GRIETA SE ESTÁ ENSANCHANDO... ESTÁ PERDIENDO LA CABEZA POCO A POCO..."
"...SE ESTÁ VOLVIENDO LOCO."

"POR LO QUE ME CUENTAN, LO MÁS DESTACABLE DE LA VISTA ES LA DEFENSA PLANTEADA POR FRANKLIN NELSON, CUYA VISIÓN PARA LOS DETALLES LEGALES Y SU IMAGINATIVO USO DE LOS PRECEDENTES LEGALES ME LLEVA A CONSIDERAR QUE QUIZÁ DEBA CONTRATARLO."
"ME CUENTAN QUE MURDOCK ES UN ESPECTRO... UNA MERA SOMBRA..."

"...INCLUSO CUANDO ESCUCHA EL PIADOSO VEREDICTO DE LA CORTE, POR EL QUE NO IRÁ A LA CÁRCEL COMO YO HABÍA PLANEADO."
"AL FINAL, LO ÚNICO QUE VA A PERDER ES SU LICENCIA PARA EJERCER COMO ABOGADO..."
"...OCULTA SU REACCIÓN, SEA CUAL SEA... INCLUSO SOSPECHO QUE SE LA OCULTA A SÍ MISMO."

"SE ENFRENTA A LA MISERIA ECONÓMICA Y EL ESCARNIO PÚBLICO, Y A LA PERSECUCIÓN DE LOS CHACALES DE HACIENDA; SE VA A QUEDAR SIN CASA. A PARTIR DE AHORA, SU ÚNICA PREOCUPACIÓN SERÁ SOBREVIVIR."
"QUIZÁ LO CONTRATE... A LO QUE AÚN QUEDE DE ÉL... CUANDO HAYA PASADO CIERTO TIEMPO. EN CUANTO SE HAYA DADO CUENTA DE LO INDEFENSO QUE ESTÁ."

"SU TALENTO ME SERÁ MUY ÚTIL... Y ASÍ PERDERÁ LA POCA DIGNIDAD QUE AÚN LE QUEDE."
"SU TALENTO. SÍ, CUALQUIER HOMBRE QUE POSEA LA DETERMINACIÓN SUFICIENTE COMO PARA FINGIR QUE ES CIEGO EN SU VIDA DIARIA SEGURAMENTE HA DESARROLLADO UNA SERIE DE MÉTODOS Y TÉCNICAS QUE PODRÍAN RESULTAR MUY ÚTILES PARA MI NEGOCIO."

"ES UN OPONENTE IMPRESIONANTE, Y ME SIGUE INTRIGANDO. SIGO SIN ESTAR SATISFECHO."
"NO DEBERÍA FORZAR LAS COSAS. AHORA ESTOY EN UNA POSICIÓN INMEJORABLE. HE DE DEJAR QUE SE HUNDA EN LA MISERIA QUE LO AGUARDA."
"HE DE RENUNCIAR AL EXQUISITO PLACER DE DARLE EL GOLPE DE GRACIA..."

ME SIENTO FATAL, MATT... REALMENTE MAL...
HAS ESTADO BRILLANTE, FOGGY. HAS LOGRADO QUE NO ENTRE EN PRISIÓN.
LO CIERTO ES QUE NO HE HECHO MUCHO PARA MERECERME UN AMIGO COMO TÚ...

SI BIEN EN ESTE LUGAR NUNCA DEJA DE HACER CALOR, KAREN PAGE TIENE FRÍO... Y TIEMBLA DE LOS PIES A LA CABEZA...
...ESE FRÍO SE EXTIENDE POR SUS BRAZOS Y PIERNAS. SU ESTÓMAGO EXPERIMENTA VARIAS SACUDIDAS COMO LAS QUE SUFRE EL MOTOR DE UN AEROPLANO AL ARRANCAR...
"VALE, NO TENGO DINERO PERO AÚN CONSERVO PARTE DE MI ATRACTIVO..."

"...ESO DIJO MI CAMELLO... DIJO QUE AÚN CONSERVABA PARTE DE MI ATRACTIVO..."
"...BASTANTE PARA..."
"¿PARTE DE MI ATRACTIVO? PERO SI SOLO TENGO VEINTICINCO..."

FUPP

SPAKK

HUYE Y SE ODIA PORQUE UN NOMBRE LE VIENE A LA MENTE: EL DEL HOMBRE...
FUPP
SPAKK
...QUE SIEMPRE LA AYUDÓ...

...MATT...

"EL AVISO DE EMBARGO PARECE PESARME UNA TONELADA EN EL BOLSILLO DE LA CHAQUETA. TENGO TREINTA DÍAS PARA PAGAR, Y EVITAR ASÍ PERDERLA DEL TODO, CON UN DINERO QUE HACIENDA NO ME DEJA NI TOCAR...."
"SOLO TENGO TREINTA DÍAS Y DIEZ DÓLARES EN EL BOLSILLO..."

"ADEMÁS, YA NO SOY ABOGADO..."

"PERO NO ESTOY DERROTADO. AÚN NO."
"QUIZÁ... QUIZÁ LO HE ESTADO ENFOCANDO DESDE UN PUNTO DE VISTA ERRÓNEO AL BUSCAR UN SOLO ENEMIGO AL QUE ECHARLE LA CULPA DE TODO."
"QUIZÁ SEA UNA CONSPIRACIÓN EN LA QUE PARTICIPA HACIENDA, LA COMPAÑÍA TELEFÓNICA, LA DE LA LUZ..."
"...Y GLORI. LLAMO A FOGGY A LAS SIETE DE LA MAÑANA Y ES GLORI QUIEN COGE EL TELÉFONO."
"FOGGY TAMBIÉN ESTÁ IMPLICADO."

"NO. FOGGY ME HA DEFENDIDO. HA LUCHADO POR MÍ. PERO... PERO ESO PODRÍA FORMAR PARTE DEL PLAN..."
"...PERO, ¿QUÉ DIGO?"

"SOLO ESTOY CANSADO. NECESITO DORMIR EN MI CAMA. EN MI PROPIA CAMA."
"MAÑANA... MAÑANA HARÉ ALGO AL RESPECTO..."

"ME TIEMBLAN LAS PIERNAS. SERÁ POR LOS NERVIOS..."
"NO... ES EL PAVIMENTO..."
"...ESE ESTRUENDO..."

"ESCUCHO LLORAR A UN BEBÉ..."
"...NO, NO ES UN BEBÉ. SON LAS SIRENAS DE LOS BOMBEROS."
"SUPONGO QUE LLEVO UN BUEN RATO AQUÍ DE PIE, Y QUE A LOS BOMBEROS LES CUESTA LLEGAR POR CULPA DEL TRÁFICO."

"EL POLVO... EL POLVO ES TAN ESPESO QUE PODRÍA AHOGARME CON ÉL..."
"NO QUEDA NADA."

"BUENO, YA LO SÉ."
"YA SÉ POR QUÉ."

"NUNCA HUBIERA RELACIONADO ESTO CONTIGO. NADA APUNTABA A QUE ESTO ERA UN PLAN MAFIOSO... HASTA AHORA."
"ERA TODA UNA OBRA DE ARTE, KINGPIN."
"NO DEBERÍAS HABERLA FIRMADO."

Daredevil # 228
Ilustración de cubierta
Dibujo y Color: David Mazzucchelli.

SOLO SON GENTE CORRIENTE, QUE HACE LO QUE PUEDE PARA EVITAR PENSAR EN ÉL... EN QUIÉN ERA ANTES DE TODO ESTO.
PARA FOGGY NELSON, ERA SU SOCIO Y SU MEJOR AMIGO. PARA GLORIANNA O'BREEN ERA EL HOMBRE AL QUE AMABA.
HACEN LO QUE PUEDEN...
TEN CUIDADO, FOGGY...

ZZZITT
¡AAY!
¡FOGGY!

FOGGY... ¿ESTÁS BIEN?
PERFECTAMENTE, GLORI. HE ATERRIZADO EN BLANDO; O SEA, SOBRE MIS POSADERAS.
RINGG
COGE EL TELÉFONO...

HOLA...

GLORI... ¿QUÉ...?

FOGGY... ERA MATT...
...PERO DECÍA COSAS SIN SENTIDO...

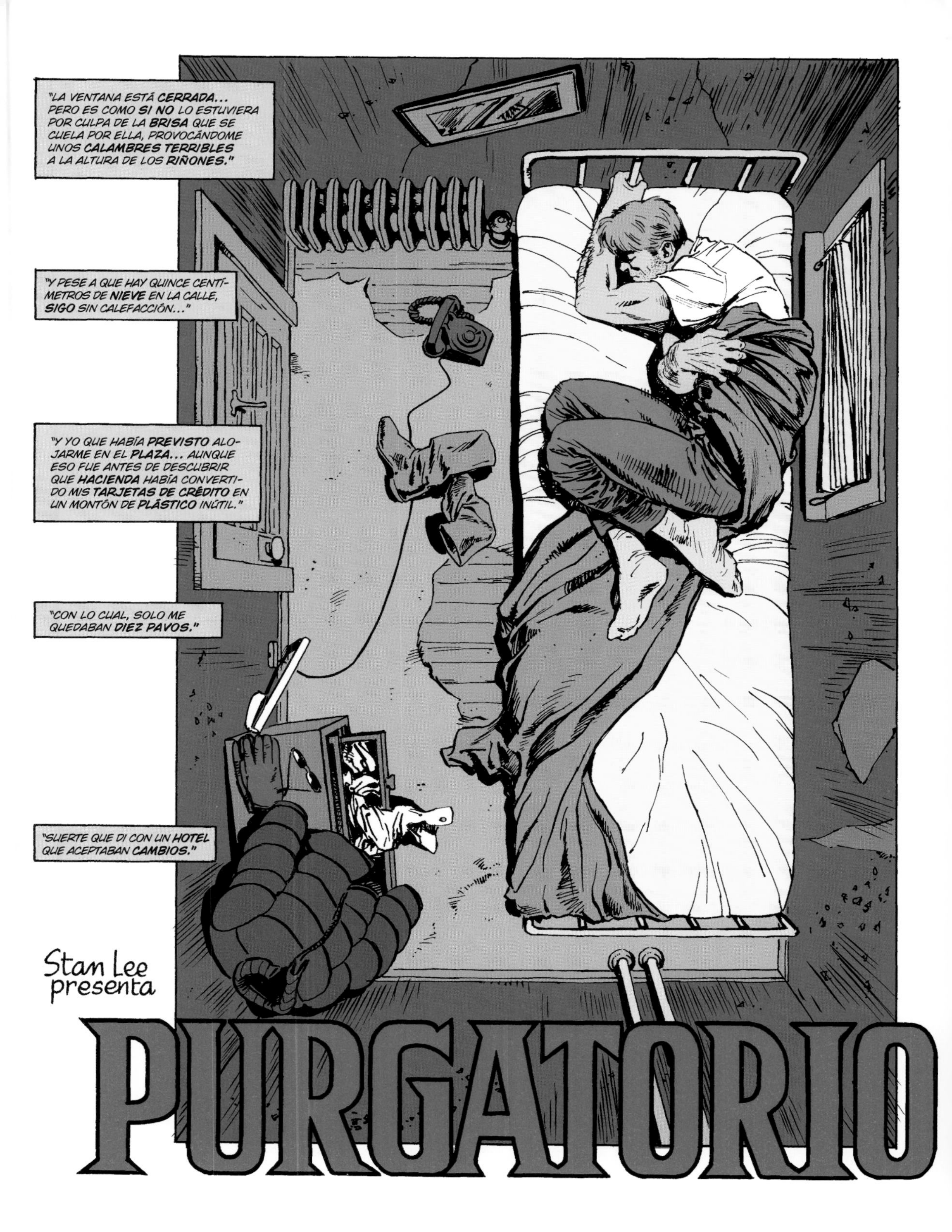
"LA VENTANA ESTÁ CERRADA... PERO ES COMO SI NO LO ESTUVIERA POR CULPA DE LA BRISA QUE SE CUELA POR ELLA, PROVOCÁNDOME UNOS CALAMBRES TERRIBLES A LA ALTURA DE LOS RIÑONES."
"Y PESE A QUE HAY QUINCE CENTÍMETROS DE NIEVE EN LA CALLE, SIGO SIN CALEFACCIÓN..."
"Y YO QUE HABÍA PREVISTO ALOJARME EN EL PLAZA... AUNQUE ESO FUE ANTES DE DESCUBRIR QUE HACIENDA HABÍA CONVERTIDO MIS TARJETAS DE CRÉDITO EN UN MONTÓN DE PLÁSTICO INÚTIL."
"CON LO CUAL, SOLO ME QUEDABAN DIEZ PAVOS."
"SUERTE QUE DI CON UN HOTEL QUE ACEPTABAN CAMBIOS."
Stan Lee presenta
PURGATORIO

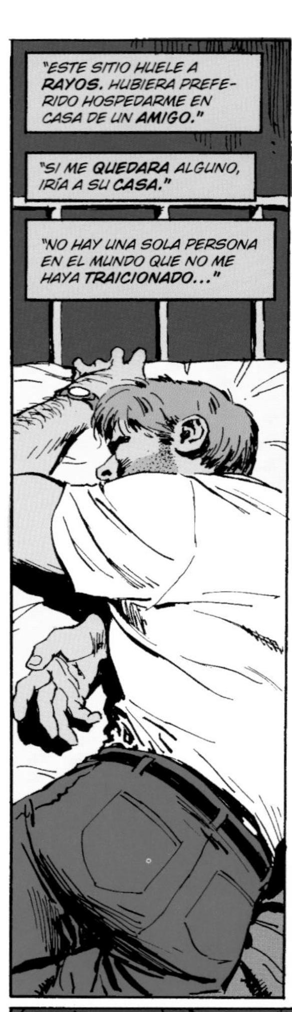
"ESTE SITIO HUELE A RAYOS. HUBIERA PREFERIDO HOSPEDARME EN CASA DE UN AMIGO."
"SI ME QUEDARA ALGUNO, IRÍA A SU CASA."
"NO HAY UNA SOLA PERSONA EN EL MUNDO QUE NO ME HAYA TRAICIONADO..."

"HACE SOLO UNOS DÍAS ERA UN PILAR DE LA COMUNIDAD... UNA FIGURA RESPETADA EN MI PROFESIÓN."
"POR NO HABLAR DE MI CARRERA COMO SUPERHÉROE."
"AHORA SOLO SOY UN CIEGO..."

"UN CIEGO QUE HA PERDIDO SU TRABAJO, SU MEDIO DE VIDA, SU HOGAR Y SU CHICA..."
"...A QUIEN EL DESTINO LE HA PROPORCIONADO UN OÍDO, UN OLFATO Y UN TACTO MUY SUPERIORES A LOS DE CUALQUIER OTRO SER HUMANO, GRACIAS A LOS CUALES ..."
"...PUEDO PERCIBIR, QUE ESTAR VIVO ES UNA DESGRACIA."

"HACE SOLO UNOS DÍAS..."
"NO, DEBERÍA HABERLO VISTO VENIR. TODO EMPEZÓ A IRME MAL HACE VARIOS MESES."
"AL PRINCIPIO, ERAN PEQUEÑOS DETALLES. DE ESOS QUE UNO PROCURA PASAR POR ALTO. DE ESOS QUE SE VAN ACUMULANDO HASTA QUE..."

"DURANTE MUCHO TIEMPO, LO ATRIBUÍ AL AZAR, A LA MALA SUERTE. YO SOY ASÍ."
"ME COSTÓ MUCHO CONVENCERME DE QUE REALMENTE PASABA ALGO RARO."
"DE HECHO, LA PRIMERA VEZ QUE LO PENSÉ SERIAMENTE PARECÍA UNA IDEA TAN... BUENO, ERA TAN ABSURDA."
"PERO LAS PRUEBAS SE FUERON AMONTONANDO. LA COMPAÑÍA TELEFÓNICA. LA DE LA LUZ. HACIENDA. EL GRAN JURADO. MI MEJOR AMIGO. MI AMANTE. LA LISTA ES INTERMINABLE."
"TODOS HAN CONSPIRADO EN MI CONTRA."
"TODOS VAN A POR MÍ."

"NO. NO. ESO NO... ME ESTOY..."
"HA SIDO KINGPIN."
"SÍ, KINGPIN."

"ÉL ES MI ÚNICO ENEMIGO DE VERDAD. HE SIDO UN GRAN INCORDIO PARA ÉL YA QUE LUCHO CONTRA EL CRIMEN... Y COMO ES UN HAMPÓN, ES LÓGICO QUE LE HAYA CAUSADO PROBLEMAS. TIENE SENTIDO QUE LE HAYA HECHO LA VIDA IMPOSIBLE. ES..."

"...TODO ES CULPA DE KINGPIN. DE ALGÚN MODO, HA DESCUBIERTO QUE SOY DAREDEVIL."
"HA SOBORNADO Y AMENAZADO A QUIEN HICIERA FALTA PARA PODER ARRUINARME LA VIDA."
"LE HE DADO MUCHAS VUELTAS."

"POR ESO NO HE ABANDONADO ESTA HABITACIÓN. HE ESTADO PENSANDO, CONCIBIENDO UN PLAN Y DURMIENDO; ÚLTIMAMENTE, ME PARECE QUE NECESITO DORMIR MUCHÍSIMO..."
"YA LO TENGO TODO DECIDIDO. SÉ CUÁL VA A SER MI ESTRATEGIA."
"VOY A PLANTARME ANTE KINGPIN Y LO VOY A MATAR."

"NO. NO LO VOY A MATAR. YO NO HAGO ESAS COSAS."
"SOLO LO GOLPEARÉ HASTA QUE ME PROMETA QUE VA A DEVOLVERME MI VIDA."
"AHORA MISMO, VOY A LEVANTARME Y VOY A ABRIR LA PUERTA PARA SALIR DE ESTA HABITACIÓN..."

"PERO ESTOY TAN CANSADO..."

ES EL SEÑOR DEL CRIMEN.
HA UNIDO A LAS DIVERSAS FACCIONES CRIMINALES DE LA CIUDAD QUE SE HALLABAN ENFRENTADAS, Y LAS HA ORGANIZADO HASTA CONVERTIRLAS EN UN EJÉRCITO. NO, MÁS BIEN, EN UN NEGOCIO TAN EFICIENTE Y RENTABLE QUE LA ECONOMÍA DE LA CIUDAD DEPENDE AHORA DE LOS LADRONES, EXTORSIONADORES Y ASESINOS QUE SE ENCUENTRAN BAJO SU MANDO.
SE LLAMA KINGPIN... Y MATTHEW MURDOCK HA SIDO EL EJE CENTRAL DE SU VIDA ÚLTIMAMENTE.
SI BIEN MURDOCK NO HA SIDO UN GRAN INCORDIO EN SU PAPEL DE DAREDEVIL, LO HA MOLESTADO Y ENFADADO COMO UNA IRRITANTE MOSCA.
AHORA, CON LA ALEGRÍA DE UN NIÑO PERVERSO, KINGPIN TORTURA A ESA MOSCA.
TODO COMENZÓ CUANDO DESCUBRIÓ EL PUNTO DÉBIL DE DAREDEVIL: SU IDENTIDAD SECRETA. DESPUÉS, BASTÓ CON QUE KINGPIN HICIERA UNAS CUANTAS LLAMADAS PARA QUE MURDOCK, QUIEN YA NO PUEDE ALBERGAR NINGUNA ESPERANZA DE RECUPERAR SU ANTIGUA VIDA, CAYERA EN DESGRACIA.
TODO HABRÍA ACABADO AHÍ... SI NO FUERA POR OTRO GRAN DESCUBRIMIENTO...
MATTHEW MURDOCK CAMINABA YA AL BORDE DEL ABISMO... ANTES DE QUE CAYERA EN DESGRACIA, SE HALLABA YA PRÁCTICAMENTE LOCO.
NO HABRÍA DISFRUTADO MÁS CON EL ESPECTÁCULO DE SU SUFRIMIENTO NI AUNQUE MURDOCK HUBIERA ESTADO ATADO A UN POTRO DE TORTURA SUPLICANDO PIEDAD MIENTRAS LE DESTROZABAN LAS EXTREMIDADES LENTAMENTE.
KINGPIN CONTEMPLA SU CIUDAD Y PIENSA QUE EL HECHO DE ESTAR VIVO ES ALGO MARAVILLOSO.

"A DOS MANZANAS DE DISTANCIA, UN IDIOTA HA ENCENDIDO UNA RADIO..."
"DE LAS GRANDES."
"SI BIEN NO ESTÁ BIEN SINTONIZADA Y SOLO SE OYE RUIDO, ESO NO IMPIDE QUE EL MUY IDIOTA TENGA EL VOLUMEN A TODO TRAPO."
"ESE CHISME ESCUPE RUIDO Y PALABRAS INDESCIFRABLES, LO CUAL PROVOCA QUE QUIEN ESTÉ CERCA, SIENTA QUE LE VA A ESTALLAR LA CABEZA."
"Y YO SIEMPRE ESTOY CERCA DE ÉL."
"SIEMPRE."
"TAMPOCO DEJA DE SONAR ESA ALARMA QUE HA SALTADO EN UN COCHE."
"ME DA IGUAL LO CANSADO QUE ESTÉ."
"SERÁ MEJOR QUE ME LEVANTE, ABRA LA PUERTA Y ME VAYA A COMER ALGO."
"HE DE ABRIR LA PUERTA."
"ME QUEDAN DOS DÓLARES."
"CON ESO ME BASTA PARA DESAYUNAR."
"SI COMO ALGO, ESTARÉ COMO NUEVO."
"LUEGO, IRÉ AL GIMNASIO."
"NO."
"KINGPIN LO VOLÓ."
"QUIZÁ VAYA A VISITAR A KINGPIN."
"SERÍA UN BUEN SACO DE BOXEO..."
"...AL ESTAR TAN GORDO."
"HE DE ABRIR LA PUERTA."

"SALGO Y ALGUIEN MUY AMABLE, A QUIEN NO CONOZCO, ME LLEVA EN COCHE A LA PARTE ALTA DE LA CIUDAD, AL CUARTEL GENERAL DE KINGPIN, A QUIEN SACUDO A BASE DE BIEN Y ME IMPLORA MISERICORDIA Y ME DEVUELVE MI VIDA Y SE ENTREGA A LA POLICÍA Y TODO EL MUNDO SABE QUE SOY YO QUIEN LE HA PEGADO Y SE CELEBRA UN DESFILE."

"ME HE DORMIDO."
"IBA A MARCHARME."
"HABÍA GIRADO EL POMO."

"NO VOY A VOLVER A LLAMAR A GLORI."
"NO SE LO MERECE."
"LLAMO A INFORMACIÓN."
"PARA SABER QUÉ HORA ES."

RINGGG

...NO, MATT, POR FAVOR... NO DIGAS ESAS COSAS...
DEJA QUE HABLE CON ÉL, GLORI.

MATT, SOY FOGGY...

ME HA COLGADO... PERO, ¿QUÉ MOSCA LE HA PICADO...?
COLUMBIA

OH, FOGGY... ESTOY TAN...
RINGGG

VOY A POR TI, NELSON.

"OIGO UN RUIDO."
"ESCUCHO PISADAS EN EL PASILLO."
"ALGUIEN SE ACERCA."
"MÁS Y MÁS."

"ESE ALGUIEN VIENE HACIA AQUÍ, Y RESPIRA POR LA BOCA COMO SUELEN HACERLO LOS GORDOS."
"RESOPLA, GRUÑE Y SE PARA."
"SE PARA JUSTO DELANTE DE MI PUERTA."
"JUSTO DELANTE DE MI PUERTA."

NOK NOK

"MUSITO UN JURAMENTO."
"LAS LLAVES TINTINEAN."
"LA CERRADURA GIRA."
DEBÍAS IRTE AL MEDIODÍA, TÍO.

ASÍ QUE DAME OTROS OCHO PAVOS, O TE SACO A...
HKKKKK
"ES BUENO."
"HABLA Y HUELE COMO EL TIPO DE CERDO ASQUEROSO AFICIONADO A FUMAR PUROS QUE SUELE REGENTAR UN CUCHITRIL COMO ESTE."

"ME LLENA LA MANO DE BABAS Y SE QUEDA QUIETO."
"SE DESMAYA."
"ENTONCES, LO SUELTO Y LO DEJO EN PAZ."

"NO TIENE SENTIDO INTERROGARLO."
"SÉ QUIÉN LO ENVÍA."
"VOY A POR TI, KINGPIN."

OBSERVÉ UN COMPORTAMIENTO MUY ATÓPICO EN MATT MURDOCK MIENTRAS LO PERSEGUÍA COMO USTED ME ORDENÓ, SEÑOR KINGPIN.
TRAS DEJAR QUE EL ENCARGADO DEL HOTEL CAYERA AL SUELO COMO SI FUERA UN SACO DE PATATAS QUE NADIE QUIERE, SALIÓ DEL HOTEL...

...Y SE ENCAMINÓ A LA ENTRADA DE LA CALLE 14 DE LA ESTACIÓN DEL TREN "D" QUE LLEVA A LA PARTE ALTA DE LA CIUDAD COMO UN REPOSEÍDO.
LOGRÉ ACCEDER AL MISMO VAGÓN DE METRO QUE MURDOCK... DONDE OBSERVÉ QUE SE HALLABA EN UN ESTADO DE EXTREMA AJENACIÓN.
PROSEGUIMOS SIN NINGÚN INDECENTE HASTA LLEGAR A LA PARADA DE LA ESTACIÓN DE PENNSYLVANIA...
...DONDE TRES JÓVENES MONTARON, ESGRIMIENDO PISTOLAS DE NUEVE MILÍMETROS ADQUIRIDAS EN EL MERCADO NEGRO, Y DECLAMARON EN ALTO SU INTENCIÓN DE DESPOJAR A LOS PASAJEROS DE SUS EFECTOS PERSONALES.
ENTONCES, UN HOMBRE MADURO INTENTÓ DESALOJOLARLOS DE MANERA CONTUNDENTE.
Y ACTO SEGUIDO, UNO DE LOS JÓVENES LE ADMINISTRÓ UNA REPRIMIENDA DE NATURALEZA FÍSICA.
¿Y MURDOCK NO HIZO NADA?
NADA, JEFE. AL MENOS, EN ESE MOMENTO, NO.
EN ESE PRECIOSO INSTANTE, LOS JÓVENES AMENAZARON A LOS PASAJEROS SUCESORIAMENTE. Y LES INDICARON QUE VACIASEN EL CONTENIDO DE SUS BOLSOS Y CARTERAS EN UNAS BOLSAS DE SUPERMERCADO.

...INCLUSO CUANDO DESPOSEDIERON VIOLENTAMENTE DE UN COLLAR A LA MUJER QUE SE SENTABA A SU LADO...
...MURDOCK PERMANECIÓ ANEJO AL APRIETO EN QUE TODOS SE HALLABAN.

HASTA QUE A ÉL MISMO LO ENCAÑONARON CON UNA DE LAS ARMAS DE FUEGO DESCRIPTAS ANTERIORMENTE...

...ENTONCES, MURDOCK MANIFESTÓ UNA AGRESIVIDAD DE PROPORCIONES SINUSITADAS.
ES DECIR, RESPONDIÓ CON EXTREMADA VIOLENCIA...
A CADA DETALLE.

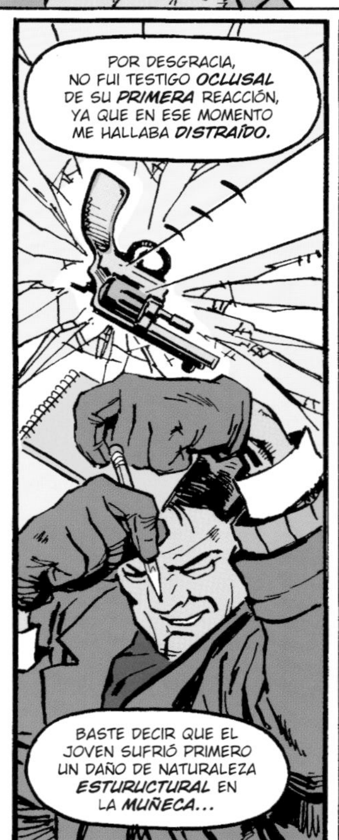
POR DESGRACIA, NO FUI TESTIGO OCLUSAL DE SU PRIMERA REACCIÓN, YA QUE EN ESE MOMENTO ME HALLABA DISTRAÍDO.
BASTE DECIR QUE EL JOVEN SUFRIÓ PRIMERO UN DAÑO DE NATURALEZA ESTURUCTURAL EN LA MUÑECA...

Y LUEGO EN LAS COS-TILLAS...

...Y MÁS TARDE EN LA MANDÍBULA, QUE SONÓ COMO CUANDO UN BOTELLÍN DE COCA COLA REVIENTA.
UN SEGUNDO JOVEN INTENTÓ REPELER EL ATAQUE DE MURDOCK...

...PERO NO LO LOGRÓ AL SUFRIR UNA REPENTINA RECONFLAGRACIÓN DE LAS VÉRTEBRAS DE SU COLUMNA.

EL ÚLTIMO LOGRÓ DISPARAR SU PISTOLA CON ÉXITO...
PERO, COMO DECÍA, MURDOCK...

...PARECÍA REPOSEÍDO.

INDEFECTIBLEMENTE, EL TREN SE DETUVO EN LA PARADA DE LA CALLE CUARENTA Y DOS. Y LAS PUERTAS SE ABRIERON.
ESTUPENDO. ESTUPENDO...
A CONTINUACIÓN, MURDOCK SE GIRÓ AL ESCUCHAR UN GRITO...

...UNA ORDEN PORFERIDA POR UN AGENTE DE LA LEY, A QUIEN...
...ATACÓ FEROZMENTE.
AL VER ENEMIGOS POR DOQUIER.
...NO ME PODRÍA HABER IMAGINADO UN INFIERNO MÁS PERFECTO...
TE ENVIDIO, GUSANO AFORTUNADO. ACABAS DE PRESENCIAR LA MUERTE DE UN HOMBRE NOBLE.
SU INMINENTE ATAQUE NO ME REPORTARÁ LA MISMA SATISFACCIÓN QUE TU RELATO...
¿CREE QUE VENDRÁ AQUÍ?
SEGURO.

¿FOGGY? SOY MATT... NO, POR FAVOR, NO CUELGUES... NE-NECESITO TU AYUDA...
CREO QUE ESTOY ENFERMO, FOGGY. ME... ME ESTOY VOLVIENDO LOCO... ACABO...
...ACABO DE PEGAR A UN POLI...
Phone

...MIRA, TODO ESTO ES CULPA DE KINGPIN. SIGO PENSANDO QUE TODO EL MUNDO TRABAJA PARA ÉL Y...
...AH, SÍ. LO SÉ. PRÁCTICAMENTE, TODO EL MUNDO TRABAJA PARA ÉL. PERO SOLO ERA UN POLI Y NO HABÍA NINGUNA RAZÓN PARA...
¿QUÉ...? OH... ¿ESTÁS SEGURO...?

...VALE, QUIZÁ EL POLI TAMBIÉN. PERO ME PASA ALGO, FOGGY. NO ESTOY BIEN...
...PERO SI VOY AHÍ, INTENTARÉ MATAR A KINGPIN, PODRÍA...
...PERO... PERO SI... VALE, AMIGO. PONDRÉ TODA LA CARNE EN EL ASADOR.

...SON LAS DIEZ Y TREINTA Y DOS...

QUÉ CALOR... AQUÍ SIEMPRE HACE TANTO CALOR... QUE NO ES DE EXTRAÑAR QUE ECHEN LA SIESTA...
...EL CALOR LE DIFICULTA LA HUÍDA, APENAS CONSIGUE RECUPERAR EL ALIENTO... Y A DURAS PENAS PUEDE ARTICULAR PALABRA PARA DECIRLE A LA OPERADORA AMERICANA CON QUÉ NÚMERO QUIERE CONTACTAR...
...NECESITA CONTACTAR...
...RECUERDA EL NÚMERO PERFECTAMENTE, NUNCA PODRÁ OLVIDARLO... Y MIENTRAS LA OPERADORA LLAMA A ESE TELÉFONO, EL SILENCIO REINA EN LA LÍNEA...
...Y ENTONCES RECUERDA A... MATT... AL HOMBRE QUE UNA VEZ AMÓ... AL HOMBRE QUE TRAICIONÓ...
...EL HOMBRE QUE PUEDE SALVARLE LA VIDA...

PERO LA OPERADORA LE DICE QUE ESE NÚMERO NO ESTÁ OPERATIVO... AUNQUE ELLA SABE QUE LE HA DADO EL NÚMERO CORRECTO Y QUE MATT NUNCA SE IRÍA DE ESA CASA, YA QUE LE ENCANTA...
...LE PIDE A LA OPERADORA QUE COMPRUEBE SI HAY OTRO NÚMERO A NOMBRE DE MATT, PERO NO LO ENCUENTRA...

...ENTONCES, KAREN PAGE LOS VE Y SABE QUE TIENE QUE SEGUIR HUYENDO...

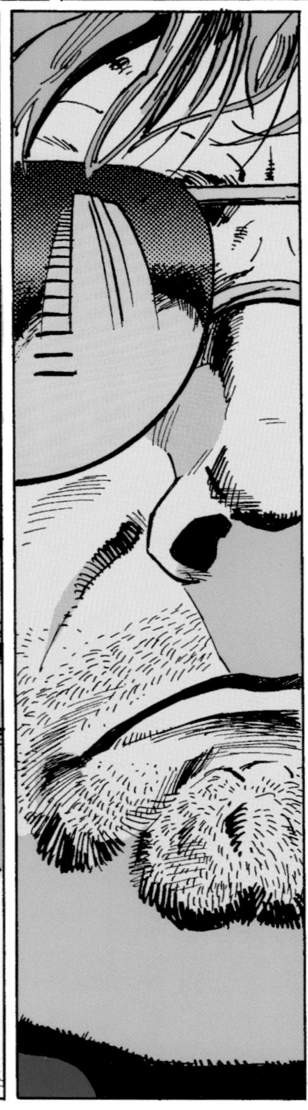

¡SÍ, ES AMIGO MÍO! ¡POR ESO SÉ QUE AQUÍ ESTÁ PASANDO ALGO MUY TURBIO, JONAH!
YO LO VEO BASTANTE CLARO, URICH.
A TU AMIGO MURDOCK LO HAN PILLADO EN CALZONCILLOS.

MATT ES UNA PERSONA MUY RECTA Y HONRADA, JONAH. NO SABES HASTA QUÉ PUNTO. TODO ESTO TIENE QUE SER UN MONTAJE... DE KINGPIN.
J JONAH JAMESON
EDITOR
¿KINGPIN? ¿QUÉ DEMONIOS TIENE QUE VER UN ABOGADO CIEGO CON KINGPIN?

...ESO NO LO SÉ, JONAH. PERO QUIERO INVESTIGAR ESTA NOTICIA.Y PIENSO CUBRIRLA PARA ESTE PERIÓDICO... O PARA OTRO SI NO HAY OTRA ALTERNATIVA.
NO ES PROPIO DE TI SER TAN PARCIAL, BEN...

PASE, SEÑOR MURDOCK.
EL SEÑOR FISK LO ESPERA.

SUFRO MÁS ESPERANDO A QUE LLAME QUE CUANDO LLAMA.
QUIZÁ DEBERÍAS LLAMAR DE NUEVO A ESE TELÉFONO DE AYUDA, FOGGY.
¿PARA QUÉ, GLORI? ¿PARA QUE ESE ASQUEROSO AL OTRO LADO DE LA LÍNEA INTENTE PSICOANALIZARME OTRA VEZ?

CUANDO UNA BOMBA ESTALLABA EN IRLANDA... ME SENTÍA IGUAL... LA ESPERA... EL NO SABER NADA RESULTA INSOPORTABLE...
NO ME ATREVO A LLAMAR A LA POLI...

ESTA VEZ HA FALTADO MUY POCO... MUY POCO ...
VUELVE A SENTIR LOS TEMBLORES Y VOMITARÍA SI AÚN LE QUEDASE ALGO EN EL ESTÓMAGO...
¿CÓMO EMPEZÓ A DROGARSE...? ¿CÓMO HA LLEGADO A ESTA SITUACIÓN...? ¿CÓMO...?
MATT... ¿DÓNDE SE HA METIDO...? ÉL SIEMPRE CONSEGUÍA QUE TODO TUVIERA SENTIDO...
NO PUEDE SEGUIR ESCONDIÉNDOSE... ADEMÁS, CON O SIN TELÉFONO... MATT ESTARÁ EN NUEVA YORK...
...HA DE LLEGAR A ESA CIUDAD... COMO SEA...

FAPPPP

THWAKK
...COMO SEA...
KRAKKK
THAPP

WHOKK
SKKRAKKK
NO ME RENDIRÉ...
...JAMÁS.

LE ALEGRARÍA PODER PONER PUNTO Y FINAL A ESTE ASUNTO AHÍ MISMO, YA QUE HAY ALGO EN ESE HOMBRE QUE DESPIERTA EN KINGPIN UNA SED DE SANGRE COMO NO HABÍA SENTIDO DESDE QUE ERA JOVEN. POR ESO, TIENE QUE HACER UN TREMENDO ESFUERZO POR CONTENERSE Y NO ARRANCARLE A MURDOCK LAS EXTREMIDADES DE UNA EN UNA.
PERO KINGPIN ES UN HOMBRE PRECAVIDO. HAY CIERTOS DETALLES A TENER EN CUENTA.
LA MUERTE DE MURDOCK NO DEBE RESULTAR NI MISTERIOSA NI SOSPECHOSA. NO DEBE DAR LUGAR A QUE ALGUIEN SE HAGA PREGUNTAS. NO DEBE DAR ORIGEN A UNA INVESTIGACIÓN.
POR ESO, COLOCAN A MURDOCK, INCONSCIENTE PERO VIVO, DENTRO DE UN TAXI ROBADO...
...Y, ACTO SEGUIDO, TIRAN EL TAXI AL EAST RIVER EN EL MUELLE 41. ADEMÁS, UTILIZAN UN COMPUESTO QUÍMICO PARA BLOQUEAR LOS CIERRES DEL CINTURÓN DE SEGURIDAD Y LAS PUERTAS QUE SIMULA EL PROCESO DE OXIDACIÓN. ASIMISMO, EMPAPAN A MURDOCK DE WHISKY, Y DEJAN UNA BOTELLA ABIERTA EN SU REGAZO.
OFF TAXI DUTY
POR OTRO LADO, EL DUEÑO DEL TAXI RECIBE UNA PALIZA MORTAL CON EL BASTÓN DE MURDOCK.
A PESAR DE QUE LOS DÍAS TRANSCURREN Y SE CONVIERTEN EN SEMANAS, MURDOCK SIGUE OCUPANDO LOS PENSAMIENTOS DEL SEÑOR DEL CRIMEN. SE LO IMAGINA EXPERIMENTANDO UN ÚLTIMO Y TERRIBLE MOMENTO DE REVELACIÓN AL DARSE CUENTA DE SU SITUACIÓN... LUCHANDO COMO LOCO, DESESPERADO Y LLENO DE ODIO... GRITANDO SIN EMITIR SONIDO ALGUNO BAJO ESAS AGUAS CONTAMINADAS...
...KINGPIN SE ESTREMECE DE PLACER CON SOLO PENSARLO...

LA LUZ DEL SOL INUNDA EL MUNDO. EL TRABAJO DIARIO SE CONVIERTE EN UN JUEGO DE NIÑOS MUY DIVERTIDO.
HA HECHO CAER EN DESGRACIA, HA DESTRUIDO Y ASESINADO AL ÚNICO HOMBRE BUENO QUE HA CONOCIDO JAMÁS.
ES TODO UN TRIUNFO MORAL.
ENTONCES, AL FIN, DAN CON EL TAXI.
ENCUENTRAN SANGRE, Y PRUEBAS DE QUE HA HABIDO UN GRAN FORCEJEO.
EL PARABRISAS ESTÁ HECHO AÑICOS... Y CON UNO DE ESOS FRAGMENTOS DE CRISTAL ALGUIEN HA CORTADO UNO DE LOS CINTURONES DE SEGURIDAD; LO CUAL EVIDENCIA QUE QUIEN SE HALLABA DENTRO REALIZÓ UN ESFUERZO TITÁNICO.
PERO NO HAY CADÁVER.
NO HAY CADÁVER.
NO HAY CADÁVER.

Daredevil # 229
Ilustración de cubierta
Dibujo y Color: David Mazzucchelli.

"NUNCA CREÍ QUE FUERA VERDAD ESO DE QUE... LA VIDA DE UNO PASA POR DELANTE DE SUS OJOS A TODA VELOCIDAD ANTES DE MORIR..."
"...NUNCA CREÍ QUE... HUBIERA TIEMPO SUFICIENTE... YA QUE UNA VIDA COMPRENDE MUCHAS COSAS..."
"...PERO HAY POCAS... MUY POCAS... QUE SEAN REALMENTE IMPORTANTES..."
"COMO... ESE DÍA SOLEADO... BRILLANTE Y HERMOSO..."
"...QUE FUE EL ÚLTIMO DÍA... QUE JAMÁS VERÉ..."
PELIGRO
MATERIAL PELIGROSO
¡...QUÉ VALIENTE HA SIDO! PERO SU ROSTRO... SUS OJOS...
ESA COSA QUE HA CAÍDO DEL CAMIÓN... ¿ES...?
MÍRALE LA CARA...
...ESA COSA... ¿ES...?
¿...ES RADIACTIVA?
"SÍ..."

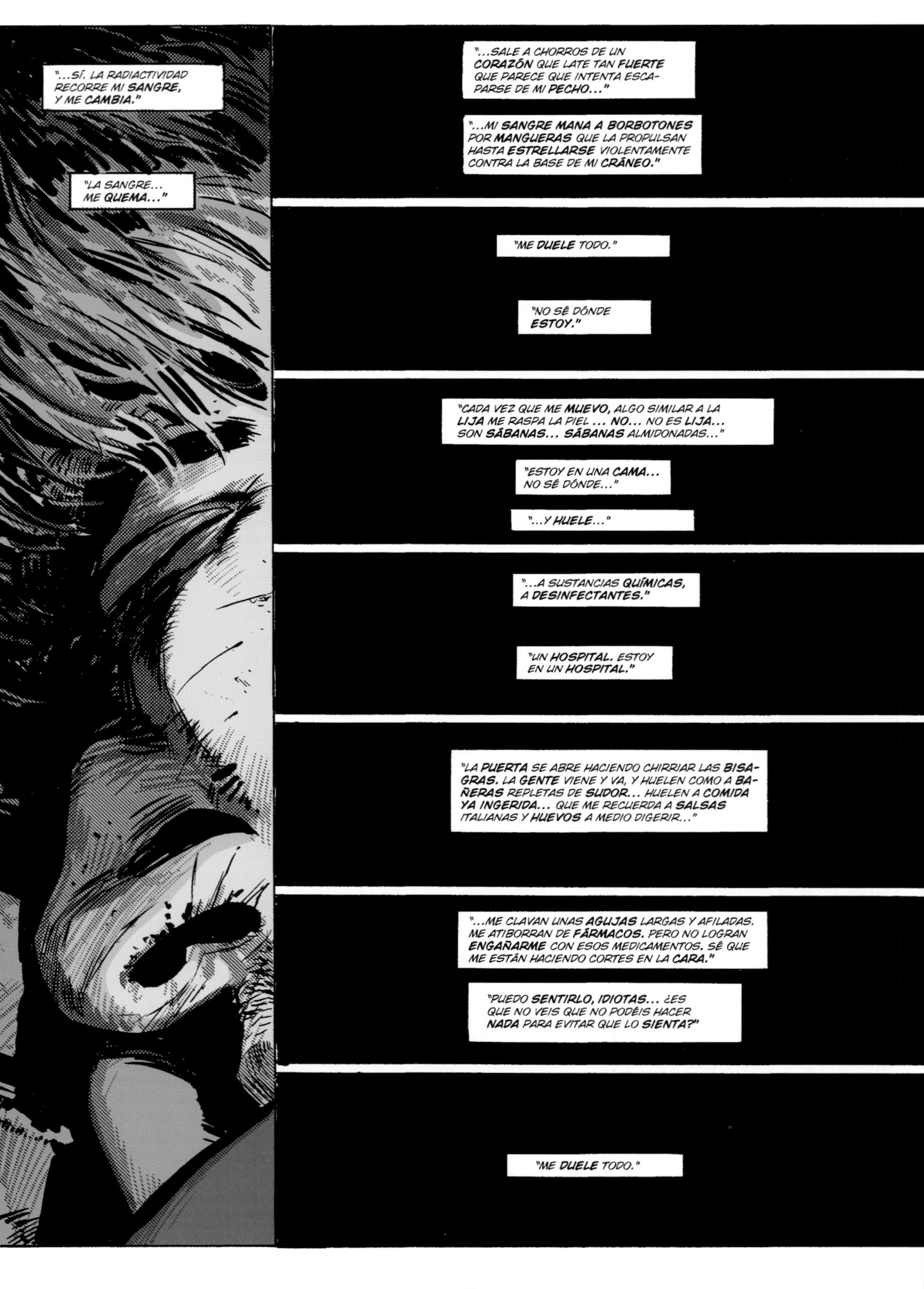
"...SÍ. LA RADIACTIVIDAD RECORRE MI SANGRE, Y ME CAMBIA."
"LA SANGRE... ME QUEMA..."
"...SALE A CHORROS DE UN CORAZÓN QUE LATE TAN FUERTE QUE PARECE QUE INTENTA ESCAPARSE DE MI PECHO..."
"...MI SANGRE MANA A BORBOTONES POR MANGUERAS QUE LA PROPULSAN HASTA ESTRELLARSE VIOLENTAMENTE CONTRA LA BASE DE MI CRÁNEO."
"ME DUELE TODO."
"NO SÉ DÓNDE ESTOY."
"CADA VEZ QUE ME MUEVO, ALGO SIMILAR A LA LIJA ME RASPA LA PIEL ... NO... NO ES LIJA... SON SÁBANAS... SÁBANAS ALMIDONADAS..."
"ESTOY EN UNA CAMA... NO SÉ DÓNDE..."
"...Y HUELE..."
"...A SUSTANCIAS QUÍMICAS, A DESINFECTANTES."
"UN HOSPITAL. ESTOY EN UN HOSPITAL."
"LA PUERTA SE ABRE HACIENDO CHIRRIAR LAS BISAGRAS. LA GENTE VIENE Y VA, Y HUELEN COMO A BAÑERAS REPLETAS DE SUDOR... HUELEN A COMIDA YA INGERIDA... QUE ME RECUERDA A SALSAS ITALIANAS Y HUEVOS A MEDIO DIGERIR..."
"...ME CLAVAN UNAS AGUJAS LARGAS Y AFILADAS. ME ATIBORRAN DE FÁRMACOS, PERO NO LOGRAN ENGAÑARME CON ESOS MEDICAMENTOS. SÉ QUE ME ESTÁN HACIENDO CORTES EN LA CARA."
"PUEDO SENTIRLO, IDIOTAS... ¿ES QUE NO VEIS QUE NO PODÉIS HACER NADA PARA EVITAR QUE LO SIENTA?"
"ME DUELE TODO."

"LA TOLERANCIA AL DOLOR TIENE UN LÍMITE."
"ME RETUERZO Y GRITO..."
"PERO SI CHILLO MUY ALTO, ME DUELE, ASÍ QUE HE DE DEJAR DE GRITAR..."
"...SOLO QUIERO MORIRME..."
"PERO COMO NO ME MUERO, HE DE SEGUIR ADELANTE."
"DESPUÉS DE UN TIEMPO, DE ALGÚN MODO LOGRO DEJAR DE SENTIR EL DOLOR... EN PARTE... PASADO UN TIEMPO, SOLO SUFRO UNA AGONÍA."
"ENTONCES, ENTRE LOS VAPORES DE ESA COSA QUE USAN PARA LIMPIAR EL SUELO, ME LLEGA UNA OLEADA DE OLOR A WHISKY... Y ESCUCHO UNA VOZ QUE PARECE HABLAR POR UN MEGÁFONO..."
¿HIJO?
¿PUEDES OIRME, HIJO?
"¡¿CÓMO NO TE VOY A OÍR... SI ESTÁS GRITANDO...?!"
LOS MÉDICOS DICEN QUE... TE PONDRAS BIEN, HIJO.
"...COMO TODOS LOS DEMÁS... RESPIRA COMO SI TUVIERA TREINTA METROS DE ALTURA..."
ERES UN HÉROE, MUCHACHO.
"...ES ENORME... ES COMO SI ESTUVIERA DENTRO DE ÉL... ES..."
AHORA DESCANSA.
"¿...ES MI PADRE?"

"LA ANSIEDAD DE PAPÁ TIÑE EL MUNDO DE DOLOR. POR FIN SE VA Y PASO OTRA NOCHE TERRORÍFICA ACOMPAÑADO DE LA TOS CONTINUA DE ALGUIEN QUE SE ENCUENTRA AL FINAL DEL PASILLO."
"ENTONCES... PERCIBO UNAS SUAVES PISADAS... UN SUAVE PERFUME DE MUJER..."
"... Y UNA SUAVE VOZ..."
¿QUÉ TE DUELE?
TODO SUENA TAN ALTO... TODO HUELE TAN FUERTE...
YA VEO...
"LA MUJER RESPIRA. Y AL FINAL DEL PASILLO, LA TOS REMITE."
"CUANDO VUELVE A HABLAR, LO HACE CON UN SUAVE SUSURRO."
QUIZÁ ESTO NO SEA... TAN MALO. PODRÍAS HACER GRANDES COSAS CON ESTE DON...
¿ESTE... DON?
CONSIDÉRALO UNA BENDICIÓN, MATT...
...QUE ES SOLO TUYA.
SERÁ NUESTRO SECRETO. NO SE LO DIGAS A NADIE.
PROMÉTEMELO...
¿QUIÉN ERES?
"UNOS LABIOS CÁLIDOS... ME BESAN LA FRENTE... CON CARIÑO..."
"...Y ALGO DURO PENDE DE SU CUELLO..."
"ES UNA CRUZ... DE ORO..."
PROMÉTEMELO...

"AQUELLA BONDADOSA MUJER ME DA EL REGALO DE LA ESPERANZA. NUNCA LLEGO A ENTENDER POR QUÉ LO HACE... Y NUNCA VUELVE A APARECER."
"PERO TODO MEJORA..."
TRANQUILO, PAPÁ. ESTOY DESPIERTO.
HIJO... ¿CÓMO SABÍAS QUE ESTABA AQUÍ?
TE HE OÍDO VENIR A UN KILÓMETRO. SIÉNTATE, PAPÁ.
DEBEMOS HABLAR, MATT. DE HOMBRE A HOMBRE.
SOY TODO OÍDOS.
SE TRATA DEL ACCIDENTE, HIJO. TE GOLPEÓ EN LA CARA ALGO QUE ESA CORPORACIÓN ESTABA TRANSPORTANDO JUSTO POR EL MEDIO DE LA CIUDAD. JUSTO POR EL MEDIO.
NO NOS QUIEREN DECIR SI ES RADIACTIVA O NO. NI SIQUIERA QUIEREN HABLAR CONMIGO.
TE HA HECHO UNA BUENA AVERÍA EN... LA CARA, MATT. ME SORPRENDE QUE HAYAN PODIDO DEJÁRTELA COMO NUEVA. VAS A VOLVER A SER EL DE ANTES. PERO...
...TUS OJOS, HIJO. TUS OJOS...
SÉ QUE ESTOY CIEGO. NO TENGO LOS OJOS TAPADOS CON VENDAS... Y NUNCA HE OÍDO HABLAR DE UN HOSPITAL QUE CAREZCA DE LUCES.
TE... TE LO ESTÁS TOMANDO MUY BIEN, HIJO...
SÍ...
...LO PROMETÍ...

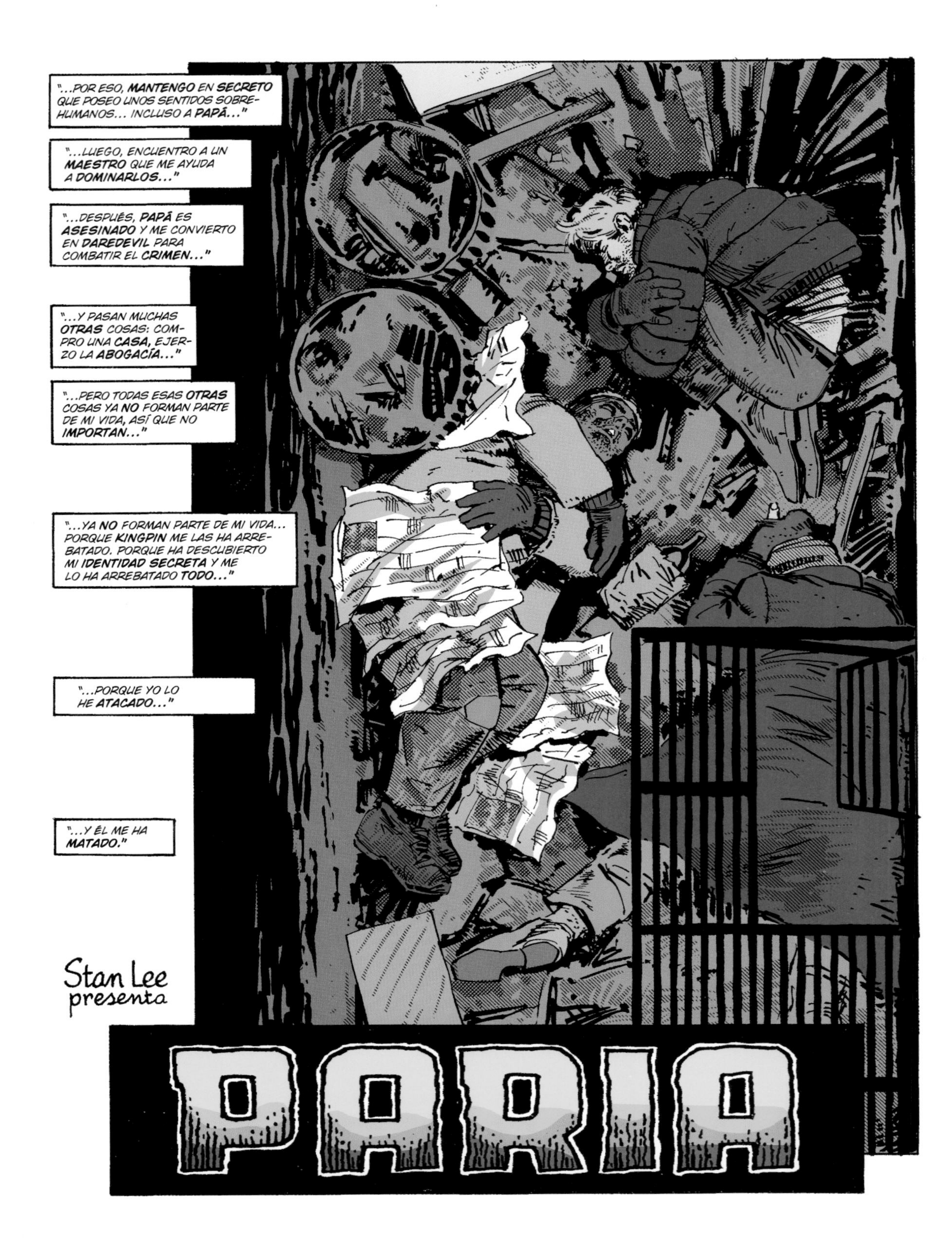
"...POR ESO, MANTENGO EN SECRETO QUE POSEO UNOS SENTIDOS SOBRE-HUMANOS... INCLUSO A PAPÁ..."
"...LUEGO, ENCUENTRO A UN MAESTRO QUE ME AYUDA A DOMINARLOS..."
"...DESPUÉS, PAPÁ ES ASESINADO Y ME CONVIERTO EN DAREDEVIL PARA COMBATIR EL CRIMEN..."
"...Y PASAN MUCHAS OTRAS COSAS: COMPRO UNA CASA, EJERZO LA ABOGACÍA..."
"...PERO TODAS ESAS OTRAS COSAS YA NO FORMAN PARTE DE MI VIDA, ASÍ QUE NO IMPORTAN..."
"...YA NO FORMAN PARTE DE MI VIDA... PORQUE KINGPIN ME LAS HA ARREBATADO. PORQUE HA DESCUBIERTO MI IDENTIDAD SECRETA Y ME LO HA ARREBATADO TODO..."
"...PORQUE YO LO HE ATACADO..."
"...Y ÉL ME HA MATADO."
Stan Lee presenta
PARIA

PARTE ALTA DE LA CIUDAD, DONDE LA GENTE CON DINERO SE LO GASTA...
REMEMBER CHRIST OUR SAVIOR WAS BORN ON CHRISTMAS DAY
ESTABA SEGURO DE QUE ESTE AÑO IBA A TENER HECHAS TODAS LAS COMPRAS A TIEMPO...
HAS ESTADO MUY OCUPADO, FOGGY. TENÍAS QUE EVALUAR TODAS ESAS OFERTAS DE TRABAJO.

TO SAVE US ALL FROM SATAN'S POWER
PUES SÍ. TENGO TANTAS QUE PARECEN UN REGALO QUE ALGUIEN HUBIERA TIRADO POR LA CHIMENEA DE MI CASA.
ES BROMA, GLORI. AQUÍ, EN AMÉRICA, LES CONTAMOS A LOS NIÑOS QUE SANTA CLAUS ES QUIEN TRAE LOS REGALOS DE NAVIDAD. ES UN TIPO ENORME QUE VIAJA EN UN TRINEO...
EN IRLANDA TAMBIÉN HEMOS OÍDO HABLAR DE SANTA CLAUS, FOGGY.

SUPONGO QUE SÍ.
VEAMOS. TENGO LO DE MAMÁ Y PAPÁ, LO DE CINDY Y BECKY...
NO...

NO... NO...
¡GLORI!

GLORI...
¡UUUF!

SUÉLTAME, TARADA...

A PUERCO...
...A MI COMPAÑERO DE BOLOS...
PUERCO PETERSON

SNIKK
TE VOY A MATAR, PIRADA...

...TAMBIÉN LE HE COMPRADO UN REGALITO...

WHOKK

DETÉNGANLO... SE...
OH, QUÉ MÁS DA...
ESTA CIUDAD ES HORRIBLE... HORRIBLE...

...A TODA ESTA GENTE... ¡LES IMPORTA TODO UN COMINO!
A QUE SÍ, ¿EH?
VAMOS, GLORI.
TIDINGS OF COMFORT AND JOY
VAMOS A BUSCAR UN SITIO DONDE SECARNOS...

"NO. NO ESTOY MUERTO."
"AÚN NO."
"NO MIENTRAS... MIENTRAS NO PARE..."

Mi EDITOR quiere algo TIERNO para la edición de NOCHEBUENA... algo sobre NIÑAS y PERRITOS.
Pero aquí estoy, en BELLEVUE.
OLVIDAOS de todo lo que hayáis oído sobre BELLEVUE. NO es una institución MENTAL. Es un HOSPITAL. Si bien es cierto que trata a muchos pacientes con problemas EMOCIONALES...

...también tratan bastantes casos de esos que solemos considerar más NORMALES. Como POLIS corruptos... y NIÑOS con problemas cardíacos.
Me llamo BEN URICH, y soy PERIODISTA. Y este es mi artículo de NAVIDAD.
¿CÓMO ESTÁ?
TÚ... OTRA VEZ... TE DIJE QUE ME DEJARAS EN PAZ...

LLEVAS VEINTE AÑOS EN EL CUERPO, Y TIENES UN EXPEDIENTE INMACULADO. NUNCA HAS COGIDO VACACIONES.
¿DIME, CÓMO ESTÁ?
LÁRGATE DE AQUÍ, URICH. NO TENGO NADA QUE CONTARTE.

NADIE SABE NADA SOBRE MATT MURDOCK DESDE HACE DÍAS. PODRÍA ESTAR MUERTO.
MENUDA TRAMPA LE HAN TENDIDO PARA ARRUINARLE LA VIDA.

NO SE PUEDE FUMAR.

ME MENTISTE SOBRE MURDOCK. TESTIFICASTE CONTRA ÉL Y LOGRASTE QUE LO INHABILITARAN PARA EJERCER LA ABOGACÍA Y QUE LA LEY LO PERSIGUIERA.
LO HAS HECHO SIGUIENDO LAS ÓRDENES DE KINGPIN... EL SEÑOR DEL CRIMEN DE ESTA CIUDAD.
NO ERES EL PRIMER POLI CORRUPTO DE LA HISTORIA, MANOLIS. ADEMÁS, TIENES UNA BUENA RAZÓN PARA HABER ACTUADO ASÍ.

LOS MEJORES TRATAMIENTOS PARA CIERTAS DOLENCIAS CARDÍACAS CUESTAN MUCHA PASTA... MUCHA MÁS DE LA QUE CUBRE UN SEGURO MÉDICO DE UN POLI NORMAL.
POR CIERTO... ¿CÓMO ESTÁ?
HAY COMPLICACIONES. EN UNA HORA, ENTRA EN QUIRÓFANO. PODRÍA MORIR ESTA NOCHE.

"NO PARES..."
"DA IGUAL DÓNDE ACABES..."

"...EL SEGUNDO CIEGO AL QUE ROBO... ME COGE DEL BRAZO..."

DONT WALK
CUIDADO...
APARTA DE EN MEDIO, LUNÁTICO...
¿QUIERES SUICIDARTE...?
OJALÁ LO ATROPELLEN...

JO, TÍO...
WHUMPP

ESTÁ MUY MAL...
TÚ SIGUE CONDUCIENDO... Y NO NOS METEREMOS EN LÍOS...

NO PARES...

YO TAMBIÉN TE ECHO DE MENOS, MAMÁ. ES QUE... BUENO, MATT... YA SABES, MI SOCIO... BUENO, AL MENOS, ANTES LO ERA... ESTÁ EN UN BUEN LÍO. ES COMPLICADO DE EXPLICAR...
...PERO, MIRA, CABE LA POSIBILIDAD DE QUE RECIBA UNA LLAMADA DE ÉL EN CUALQUIER MOMENTO... ME ALEGRO DE QUE LO ENTIENDAS, MAMÁ...

...OH, ME VA BASTANTE BIEN. HE RECIBIDO VARIAS OFERTAS DE TRABAJO... SÍ, YA SÉ QUE ME DIJISTE QUE LAS RECIBIRÍA. HAY UNA EN CONCRETO QUE TIENE BASTANTE BUENA PINTA. DEMASIADA... NO, NO QUIERO INSINUAR NADA...
...PERO NO ES SOLO ESO, MAMÁ. ESCUCHA... HE CONOCIDO A UNA CHICA... MUY MAJA Y...

JODER, TURK. PODRÍAMOS HABER COMPRADO EL DISFRAZ.
¿CON QUÉ? ESTAMOS SIN BLANCA DESDE QUE KINGPIN DECIDIÓ QUE NO NOS IBA A DAR MÁS CURRO.
Voluntarios DE AMÉRICA
VAMOS, PÓNTELO. Y DATE PRISA, GROTTO.

NO SÉ. ES QUE SANTA CLAUS...
CÁLLATE. AHORA IREMOS AL UPPER EAST SIDE, DONDE LOS RICOS NOS DARÁN SU DINERO... Y ASÍ TENDRÁN MENOS CARGO DE CONCIENCIA POR SER RICOS... Y NOSOTROS TAMBIÉN NOS SENTIREMOS MUCHO MEJOR.
ESE ES EL ESPÍRITU DE LA NAVIDAD.
QUITA...

...QUÍTATELO.

QUITA TÚ DE EN MEDIO, TÍO...
ES SOLO UN MENDIGO AL QUE YA LE HAN DADO UNA BUENA PALIZA POR LAS PINTAS QUE TRAE, TURK.

TOMA... COMPRA UNA BOTELLA CON ESTO...

QUÍTATELO.

SHKK
OYE, TURK... NO TENÍAS POR QUÉ...

ME ESTÁ MANCHANDO DE SANGRE...
LARGUÉMONOS DE AQUÍ...

El HIJO de Nick muere a las 12:03 del día de Navidad.
Si quieres que te DESCRIBA cómo me siento, eres un MONSTRUO.

Nick me HABLA, pero nada de lo que dice tiene mucho SENTIDO. Aunque ya lo TENDRÁ. Ya tengo la NOTICIA que estaba buscando.
También tengo un MONO DE NICOTINA tremendo, así que salimos FUERA... al APARCAMIENTO...

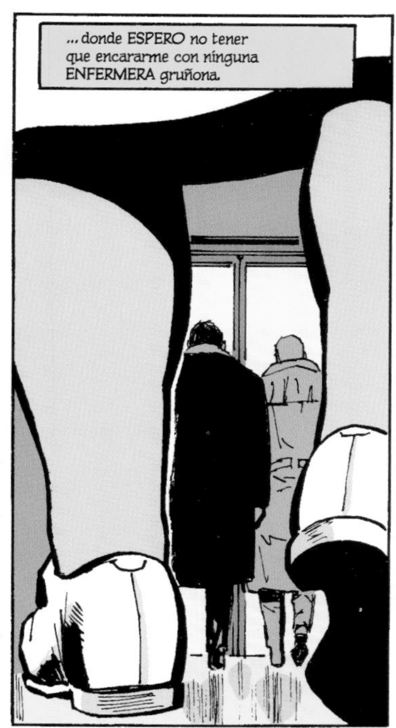
...donde ESPERO no tener que encararme con ninguna ENFERMERA gruñona.

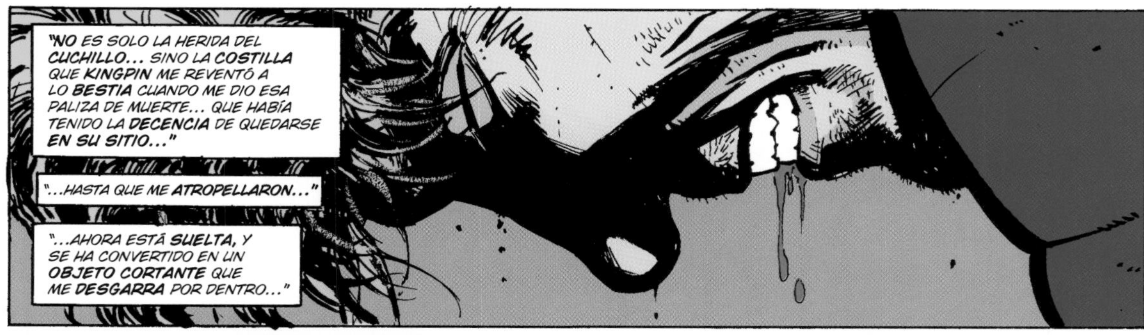
"NO ES SOLO LA HERIDA DEL CUCHILLO... SINO LA COSTILLA QUE KINGPIN ME REVENTÓ A LO BESTIA CUANDO ME DIO ESA PALIZA DE MUERTE... QUE HABÍA TENIDO LA DECENCIA DE QUEDARSE EN SU SITIO..."
"...HASTA QUE ME ATROPELLARON..."
"...AHORA ESTÁ SUELTA, Y SE HA CONVERTIDO EN UN OBJETO CORTANTE QUE ME DESGARRA POR DENTRO..."

"...SIGO ANDANDO..."
"...SOLO PORQUE ME CUESTA HACERLO..."

KAREN PAGE...
...SOY UN GRAN ADMIRADOR TUYO... O SEA, DE TUS PELIS...

NECESITO...
YA SÉ QUÉ NECESITAS.

NO NECESITO SOLO EL... CABALLO. TAMBIÉN DEBO VIAJAR A... AMÉRICA.
TE PAGARÉ.
ACEPTO TU DINERO PARA PAGAR... EL JACO. PERO EL VIAJE, BUENO...
DIGAMOS QUE TENGO QUE VIAJAR AL NORTE DE TODOS MODOS, PORQUE HE DE HACER UNAS ENTREGAS. Y NECESITO... ALGO DE COMPAÑÍA PARA EL VIAJE...

COMO DECÍA... SOY UN GRAN ADMIRADOR TUYO.
COMO QUIERAS.
DISCULPE, SEÑOR...

...PERO LA SEÑORITA SE VIENE CON NOSOTROS.

KBLAMM

KBLAMMM
FUPP

ESPERO QUE MEREZCA LA PENA...

"ME DESANGRO... POR DENTRO Y POR FUERA..."
"LA COSTILLA... NO SE ESTÁ QUIETA..."
"PUEDO SENTIRLA... PUEDO SENTIRLO TODO..."
"LA COCINA DEL INFIERNO... HUELE A LA COCINA DEL INFIERNO... ¿POR QUÉ HE VENIDO AQUÍ?"
"ES EL PEOR BARRIO DE MANHATTAN."
"Y UN BUEN LUGAR PARA QUE ME MATEN."
"YA QUE NACÍ AQUÍ..."

"...EN ESTA MISMA CALLE. EN CASA DE MI PADRE..."
"ESTE ES MI HOGAR. EL ÚNICO HOGAR... QUE ME QUEDA..."

OH, FOGGY... NO DEBERÍAS...
DE VERAS... NO DEBERÍAS...

OH, FOGGY... ES TAN BONITO...

SEGURO QUE TE HA COSTADO UNA FORTUNA...

"UN GÉLIDO VIENTO SOPLA CON FUERZA POR EL SOLAR VACÍO."
"¿CUÁNDO... HAN DERRIBADO MI CASA?"
"PAPÁ. LA HAN DERRIBADO. LA HAN DERRIBADO."
"PADRE, EL GIMNASIO."
"SÍ."
"SEGUIRÁ DÓNDE HA ESTADO SIEMPRE."
"DEBE SEGUIR AHÍ..."

Este CIGARRO me sabe a RAYOS.
A veces, es lo que HAY.
SUPONGO QUE FUE KINGPIN QUIEN LE TENDIÓ LA TRAMPA. PERO NO SÉ QUIÉN ERA EL TIPO CON EL QUE HABLÉ.
SOY UN VENDIDO. ME HE PASADO VEINTE AÑOS SIN ESCAQUEARME NI DE UNA MULTA DE TRÁFICO Y CUANDO DECIDO VENDERME, NO LOGRO SALVAR A MI HIJO.
EH... QUE AQUÍ SE PUEDE FUMAR...

NO LOGRO SALVAR A MI HI...
PERO, ¿QUÉ...?
THWAKK

¿QUÉ ESTÁA-AAA...?
SR. URICH... ESTÁ IMPORTUNANDO MUCHO A MI PATRÓN. ASÍ QUE ME HA PEDIDO QUE LE DEJE CLARA CUÁL ES SU OPINIÓN AL RESPECTO.
SE LA EXPLICO AHORA MISMO...

SI FUERA UN EDITOR, MI PATRÓN DESTRUIRÍA SUS IMPRENTAS. COMO SOLO ES UN JUNTALETRAS Y NO SERVIRÍA PARA NADA DESTROZAR SU MÁQUINA DE ESCRIBIR...
...MI PATRÓN ME HA PEDIDO QUE LE EXPLIQUE CON CLARIDAD MERIDIANA QUE CADA VEZ QUE PRONUNCIE EL NOMBRE DE MATTHEW MURDOCK...
NNGGGG
LJM-1

...LE ROMPEREMOS TODOS LOS DEDOS DE LA MANO.
KRAKKK

Lo PEOR de todo es que NO pierdo el conocimiento.
Y VEO lo que le hace a NICK MANOLIS.
M-1

"SIGUE AQUÍ."
"AÚN CONSERVA TODOS ESOS OLORES. DESPUÉS DE TANTOS AÑOS."
"EL OLOR DE MI SUDOR, Y EL DEL TUYO, PADRE."
"ENTRENASTE EN SU DÍA EN ESTE LUGAR. Y ME OBLIGASTE A PROMETERTE QUE NUNCA VENDRÍA AQUÍ. PERO TE MENTÍ Y VINE DE TODOS MODOS."
"ME CONVERTÍ EN UN LUCHADOR, COMO TÚ."
"PASÉ HORAS Y HORAS EN EL CUADRILÁTERO."
"Y CON EL SACO."
"EL SACO."

"ME HICISTE PROMETERLO SOBRE LA TUMBA DE MI MADRE."
"ASÍ, NO PUDE COMPARTIR LA ÚNICA FELICIDAD QUE HABÍA EN MI VIDA."
"AHORA EL RESTO DE MÍ HA MUERTO."
"SOLO SOBREVIVE EL LUCHADOR."

"SOLO EL
LUCHADOR."

"MATT..."

MATT.

NO HAY CADÁVER.

LLEVA SEIS HORAS DÁNDOLE VUELTAS A ESA IDEA EN LA CABEZA. ESE HOMBRE AL QUE CREÍA HABER ASESINADO... DE MANERA TAN EXQUISITA, CON TANTA MINUCIOSIDAD, SABOREANDO CON DELEITE CADA PASO...
...DE LA CAÍDA EN DESGRACIA DE MURDOCK HASTA LLEGAR A SU DERRUMBE EMOCIONAL...
...HASTA LLEGAR A ESE MOMENTO DE ÉXTASIS INIGUALABLE, CUANDO LOS PUÑOS DE KINGPIN LO MACHACARON, Y LE REVENTARON TODOS LOS HUESOS...
...ESE HOMBRE AL QUE CREÍA HABER ASESINADO ESTÁ VIVO.

LLEVA SEIS HORAS SUDANDO Y ESFORZÁNDOSE AL MÁXIMO, BUSCANDO LOS LÍMITES DE SU FUERZA INHUMANA. EN UN VANO INTENTO DE DEJAR DE PENSAR EN ELLO.
NO HAY CADÁVER.
¿QUÉ LE PASA CON MURDOCK? SOLO ERA UN PEQUEÑO INCORDIO... UN TALENTO PROMETEDOR AL QUE HABÍA QUE SEGUIR LA PISTA Y TENER EN CUENTA E INCLUSO, DE VEZ EN CUANDO, ADMIRAR...
...QUE QUIZÁ ALGÚN DÍA PASARÍA A FORMAR PARTE DEL BANDO DE KINGPIN...
...PERO AHORA ES ALGO MÁS. AHORA ES MUCHO MÁS. EN REALIDAD...
...SIEMPRE LO FUE.
YA... YA QUE LE HE ENSEÑADO...

...QUE UN HOMBRE SIN ESPERANZA...
...ES UN HOMBRE SIN MIEDO.

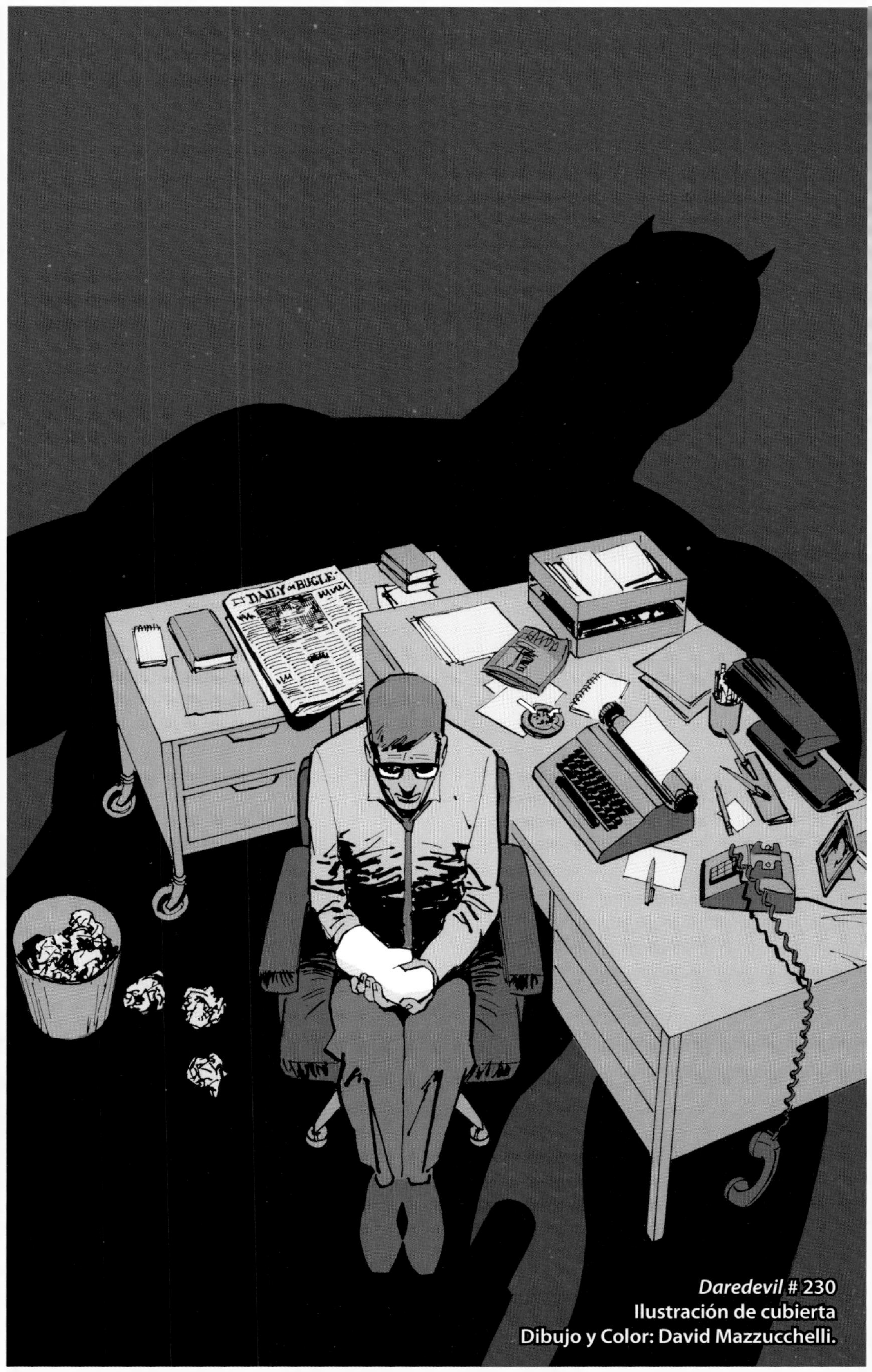

Daredevil # 230
Ilustración de cubierta
Dibujo y Color: David Mazzucchelli.

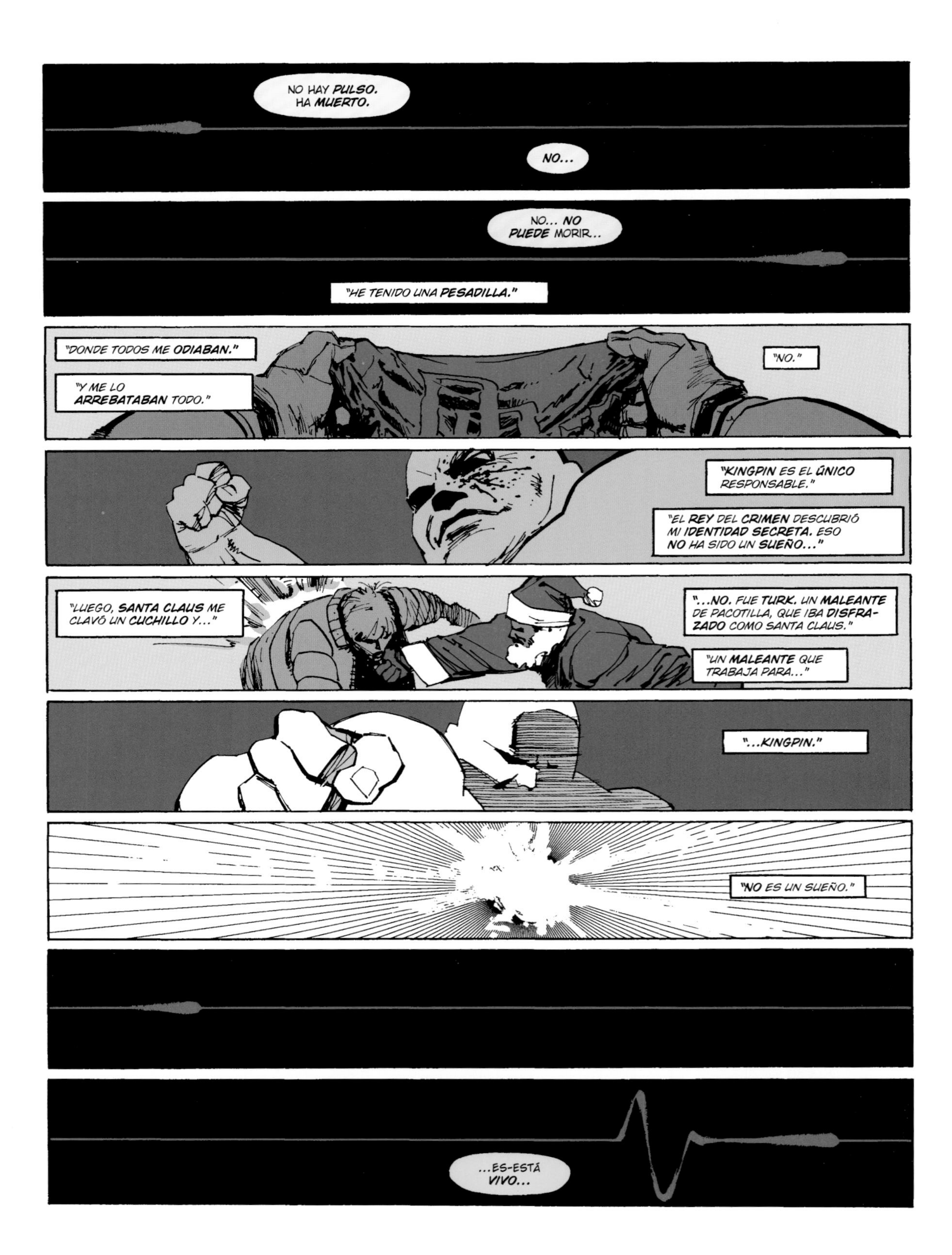
NO HAY PULSO. HA MUERTO.
NO...
NO... NO PUEDE MORIR...
"HE TENIDO UNA PESADILLA."
"DONDE TODOS ME ODIABAN."
"Y ME LO ARREBATABAN TODO."
"NO."
"KINGPIN ES EL ÚNICO RESPONSABLE."
"EL REY DEL CRIMEN DESCUBRIÓ MI IDENTIDAD SECRETA. ESO NO HA SIDO UN SUEÑO..."
"LUEGO, SANTA CLAUS ME CLAVÓ UN CUCHILLO Y..."
"...NO. FUE TURK. UN MALEANTE DE PACOTILLA, QUE IBA DISFRAZADO COMO SANTA CLAUS."
"UN MALEANTE QUE TRABAJA PARA..."
"...KINGPIN."
"NO ES UN SUEÑO."
...ES-ESTÁ VIVO...

RENACIMIENTO

KAREN PAGE SIENTE EL **FRESCOR** DE LA BRISA. SE ENCUENTRA EN **AMÉRICA** Y SE PERMITE ALBERGAR ALGUNA **ESPERANZA.**

A VECES, SUSURRA UN **NOMBRE...** EN VOZ BAJA, APARTANDO LA CARA DE SU COMPAÑERO DE VIAJE... UN NOMBRE QUE ES **SINÓNIMO** DE ESPERANZA PARA ELLA.

MATT.

MATT... EL HOMBRE A QUIEN **TRAICIONÓ...** AL VENDER SU MAYOR **SECRETO** POR UNA **DOSIS...**

...LE CONTÓ A CIERTA **PERSONA** QUE MATT ES **DAREDEVIL...** Y ESA **PERSONA** SE LO CONTÓ A **OTRAS** PERSONAS... Y AHORA ESAS **OTRAS** PERSONAS INTENTAN **ASESINAR** A KAREN PAGE...

...PERO VA A LLEGAR A **NUEVA YORK.** VA A **DAR** CON MATT ANTES DE QUE LOS **ASESINOS** DEN CON **ELLA.**

MATT LA **SALVARÁ.**

TIENE QUE HACERLO.

PIENSA **A MENUDO** EN SU **NOMBRE.**

MURDOCK.

ÉL ES **KINGPIN.** EL **SEÑOR** DEL CRIMEN QUE **DESTROZÓ** LA VIDA DE MATT MURDOCK... Y LE **DESPOJÓ** DE SU **CARRERA** COMO ABOGADO, DE SU **CASA** Y DE **TODO** AQUELLO QUE DABA SENTIDO A SU **VIDA.**

NO OBSTANTE, **MURDOCK** SIGUE **VIVO** EN ALGUNA PARTE.

MURDOCK SIGUE **VIVO.**

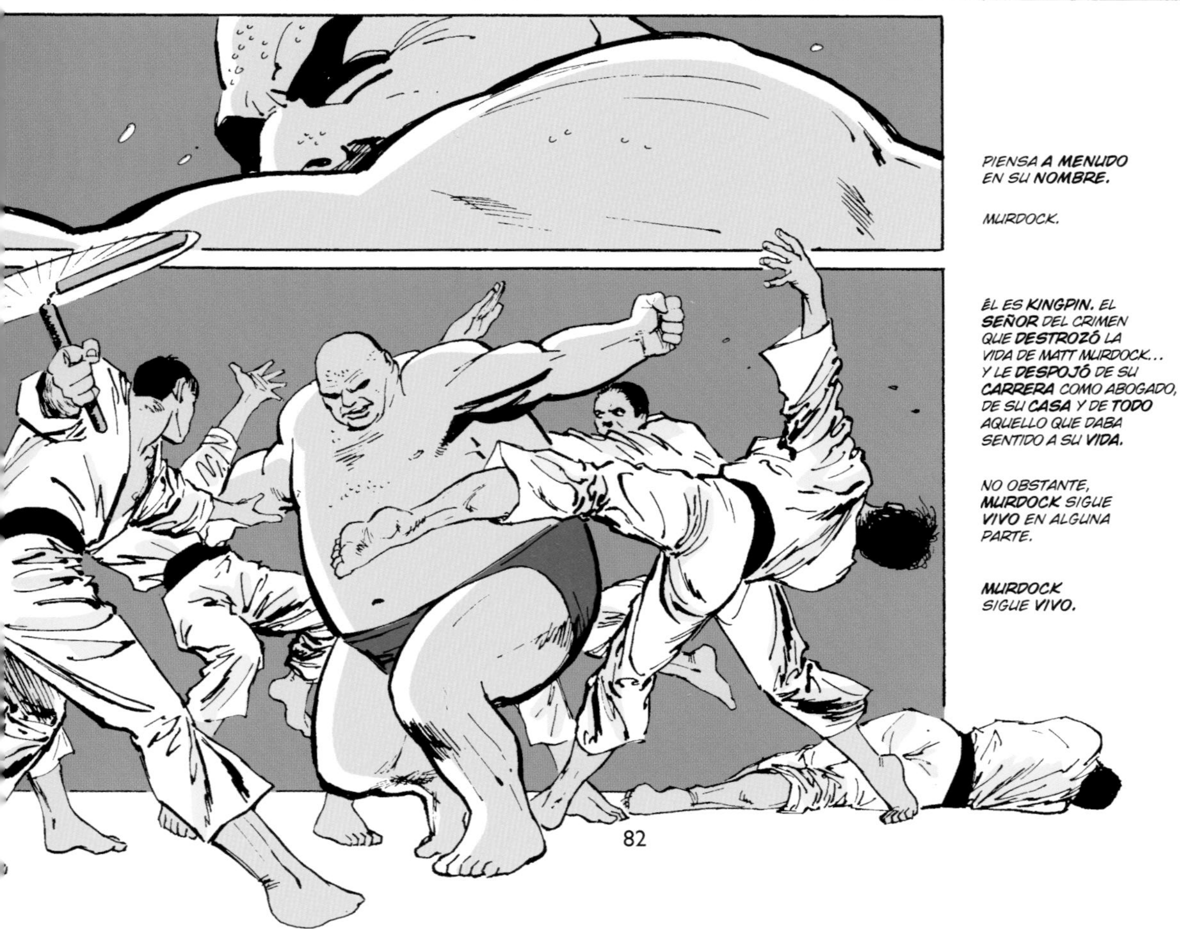

Aceptado y firmado a 2 de
Franklin Nelson

HE ACEPTADO.
LO SABÍA.
TIENE GRACIA... ME TEMBLABA LA MANO AL FIRMAR. SUPONGO QUE SERÁ POR EL SALARIO.
EN SERIO, GLORI. HASTA QUE NO LO HE VISTO ESCRITO EN EL CONTRATO, NO ME HE CREÍDO QUE FUERAN A PAGARME TANTO DE VERDAD.
SIN DUDA, TE LO MERECES, FOGGY.

ES EL DOBLE DE LO QUE MATT Y YO GANÁBAMOS... JUNTOS... POR CIERTO, ¿CUÁNTO TIEMPO LLEVA MATT DESAPARECIDO?
ONCE DÍAS.
Y SEIS HORAS.

Ni siquiera PIENSO su NOMBRE.
No EXISTE. Me han CONVENCIDO de ELLO.
HABLABA con un POLI corrupto que colaboró a tenderle una TRAMPA cuando una ENFERMERA del tamaño de un CAMIÓN se nos vino encima y le rompió casi todos los HUESOS al pobre MADERO.
CONMIGO se CONTUVO. Solo me rompió los DEDOS de una mano.

Me llamo BEN URICH, y soy PERIODISTA.
Y ni siquiera PIENSO su NOMBRE.

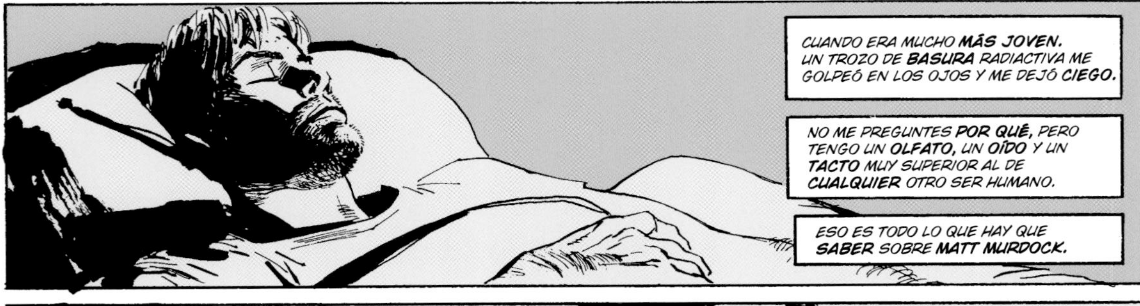

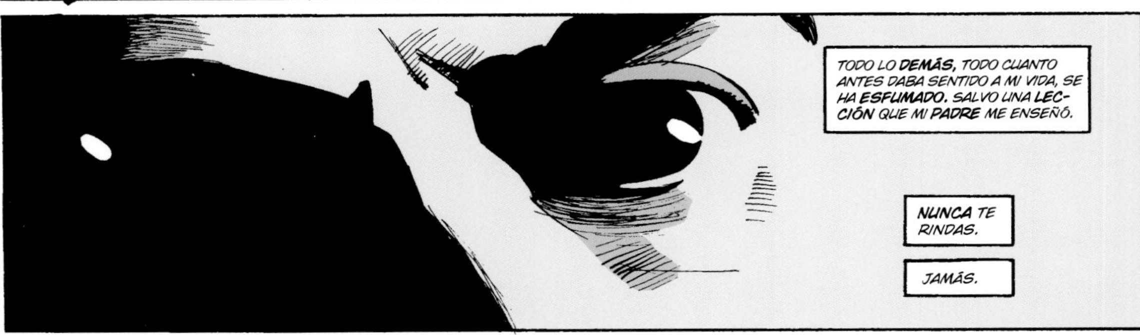

PARA MUCHA GENTE, NUEVA YORK ES EL EMPIRE STATE Y LA ESTATUA DE LA LIBERTAD. PARA KAREN PAGE, ES LA ESTACIÓN DE PENNSYLVANIA; YA QUE FUE LO PRIMERO QUE VIO DE NUEVA YORK, LA PRIMERA VEZ QUE PISÓ ESTA CIUDAD, AL BAJAR DE UN TREN PROCEDENTE DE NUEVA INGLATERRA. PROBABLEMENTE, POR ESO LE HA PEDIDO A PAULO QUE LA DEJE AQUÍ.

LE HA PAGADO EL VIAJE... TAL Y COMO ÉL QUERÍA. NO LE DEBE NADA.

QUIERE LIBRARSE DE ÉL. AUNQUE, CLARO, TIENE EL JACO... QUE DESEA CON TODA SU ALMA. SIN EMBARGO, AHORA, SOLO QUIERE ESTAR CON UN HOMBRE...

...INCLUSO ESTÁ DISPUESTA A DEJAR DE CHUTARSE, JURA QUE SE DESENGANCHARÁ...

...Y SE DESPIDE DE PAULO CON UN BESO COMO ÚLTIMO PAGO.

UNO DE ESOS BESOS LARGOS QUE APRENDIÓ A DAR EN LAS PELÍCULAS QUE HIZO PARA GENTE COMO PAULO.

ES TODA UNA EXPERTA EN LA MATERIA.

PERO PARA PAULO NO ES SUFICIENTE.

LOCALIZA A NUKE, WESLEY.
NUKE... NO LO DIRÁ EN SERIO, ¿VERDAD, JEFE? POR FAVOR, DÍGAME QUE NO LO DICE EN SERIO.
NADIE LO HA UTILIZADO NUNCA PARA UNA MISIÓN DOMÉSTICA. ES...

NO ME DISCUTAS.

NO, BEN, ERES UN INCONSCIENTE. UN INCONSCIENTE.
MÍRATE... ¡TE HAN ROTO LOS DEDOS, CARIÑO!

TE MATARÁN... LO SABES, ¿VERDAD? TE MATARÁN Y HABRÁS MUERTO POR...
NO DIGAS SU NOMBRE.

NI SE TE OCURRA PENSAR SU NOMBRE. ES MUY IMPORTANTE QUE NI SIQUIERA PENSEMOS SU NOMBRE.

"ME HAN HECHO ALGO. LA COSTILLA ROTA VUELVE A ESTAR EN SU SITIO. Y YA NO ME DESANGRO."
"PERO COMO ME DUELE TODO, SERÁ MEJOR QUE ME DISTRAIGA PARA OLVIDARME DEL DOLOR."

"CUANTO MÁS ME CENTRE EN OTRAS COSAS, ME..."
"...ESE HEDOR... INCLUSO SU SUDOR HUELE A VINO BARATO... DIOS, CASI SOY CAPAZ DE PALADEAR SU RESACA..."
"...ES INSOPORTABLE... HE DE IR MÁS LEJOS..."

"LA NIEVE ATENÚA LOS SONIDOS."
KAWW
KAWWW
"Y LAS GAVIOTAS SOLO GRAZNAN ASÍ DE QUEJOSAS POR LAS MAÑANAS."

BEEP HONK HONK BEEP BEEP HONNNNNNK
"ES COMO SI LA CIUDAD ENTERA SE QUEJARA. ESTÁ CLARO QUE SIGO EN MANHATTAN."
"ESTRECHA EL CERCO."

"PESE A QUE EL HERMANO GALLO SE HALLA JUNTO A MÍ, PUEDO SEGUIR OLIENDO EL BARRIO, QUE HUELE A RATAS Y POLVO DE CEMENTO."
"YO CRECÍ AQUÍ, EN LA COCINA DEL INFIERNO."
"PERO, ¿EN QUÉ CLASE DE SITIO ESTOY?"

BONG BONG
BONG
"VAYA."

BONG
BONG BONG BONGGG
"SON CAMPANAS. ESTOY EN UNA IGLESIA."
"ES UNA MISIÓN. DEBO DE ESTAR EN EL SÓTANO..."

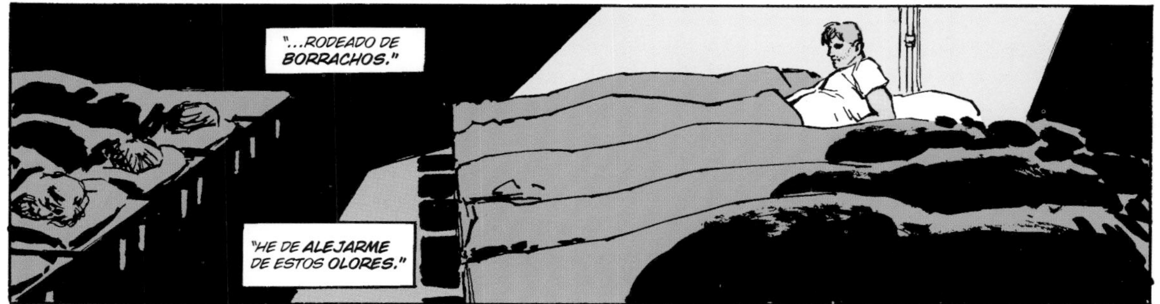
"...RODEADO DE BORRACHOS."
"HE DE ALEJARME DE ESTOS OLORES."

"VALE... ¿Y AHORA QUÉ LES PASA A LOS MÚSCULOS DE MIS PIERNAS?"

SERÁS TONTO.

ME LLAMO MAGGIE.
Y DE AQUÍ NO TE MUEVES.

HOLA, ¿PODRÍA HABLAR CON FO... FRANKLYN NELSON...?
...SRA. NELSON... OH, OH. LO... LO SIENTO. NO SABÍA QUE ESTUVIERA CASADO...
...MIRE, SRA. NELSON, TRABAJÉ COMO SECRETARIA SUYA... DE ÉL Y DE MATT MURDOCK...

...Y, ESTO, ¿PODRÍA HABLAR CON FOGGY? ¿CÓMO QUE YA NO VIVE AHÍ...? PERO SI ACABA DE DECIR QUE...
...SE HAN SEPARADO... OH, LO SIENTO... MIRE, NECESITO... HUM... ¿TIENE ALGÚN NÚMERO DE TELÉFONO DONDE PUEDA LOCALIZARLO...?

...SÍ.. OH, MUCHAS GRACIAS, SEÑORA... DE VERAS.

KAREN... ¿KAREN PAGE? JO, ERES LA ÚLTIMA PERSONA QUE ESPERABA QUE ME LLAMARA HOY. ¿CÓMO TE VA LA VIDA?
¿MATT? BUENO, MATT ESTA PASANDO UNA MALA RACHA, KAREN. ES UNA HISTORIA MUY LARGA... NO, LO SIENTO, NO SÉ DÓNDE ESTÁ...

ME ENCANTARÍA VERTE, KAREN. ¿CUÁNTO TIEMPO VAS A ESTAR EN LA CIUDAD? ¿CÓMO? ¿AHORA MISMO? JO, KAREN, ES QUE TENGO MUCHO LÍO...
VALE, CLARO. SI ES TAN IMPORTANTE... ¿DÓNDE? ESA ES UNA DE LAS ZONAS MÁS CHUNGA DE LA CIUDAD. ¿ESTÁS SEGURA...?
CLARO, KAREN. POR LOS VIEJOS TIEMPOS, COMO BIEN DICES.

"LOS VIEJOS TIEMPOS..." JO, PERO SI NO FUE HACE TANTO...

DAILY BUGLE
HE VISTO ESTO MUCHAS VECES, BEN. Y SIEMPRE ME DA EL MISMO ASCO.
UN PERIODISTA SE ME PONE CHULO PORQUE QUIERE INVESTIGAR UNA NOTICIA. INCLUSO AMENAZA CON LARGARSE DEL PERIÓDICO SI NO LE DEJO HACERLO...
...Y, ENTONCES, DE REPENTE, YA NO LE INTERESA.

POR CIERTO... ¿QUÉ TAL LA MANO?
ESCUCHA, URICH. HAY COSAS QUE UNO NO DEBE PERMITIR EN ESTE NEGOCIO. LA MÁS IMPORTANTE ES QUE UNO NUNCA DEJA QUE LO ACOJONEN CUANDO ESTÁ INVESTIGANDO UNA NOTICIA.
NO MIENTRAS UNO TIENE A SU DISPOSICIÓN EL ARMA MÁS PODEROSA DEL MUNDO.

ME REFIERO A LOS CINCO MILLONES DE LECTORES QUE TIENE ESTE PERIÓDICO, QUE SON CAPACES DE DESTITUIR ALCALDES Y DERROCAR PRESIDENTES.
HACE AÑOS QUE APUNTAMOS CON ELLA A KINGPIN. PERO TE NECESITAMOS PARA HACERLE CAER.

TIENES SUERTE DE QUE NO TE DESPIDA.
SAL DE MI DESPACHO.

J JONAH JAM
EDITOR
BIEN HECHO, URICH.

SIGUE ASÍ. Y RECUERDA QUE KINGPIN TE VIGILA.
Y QUE TIENES OTROS CINCO DEDOS MÁS.

"ESTÁ CONMIGO CUANDO ME SUBE LA FIEBRE."
"ESTOY ARDIENDO... Y SOLO ESE PAÑO HÚMEDO Y SUAVE ME DA ALGO DE FRESCOR."

"DE SU CUELLO PENDE..."
"...UNA CRUZ..."
"...DE ORO."

¿CÓMO QUE TE VAS?
SOLO VOY A VER A UN AMIGO...
THWAKK
MUY BIEN. VE A VER A TU AMIGO, PERO MÁS TE VALE VOLVER... PORQUE SI NO, TE ENCONTRARÉ, KAREN PAGE.
AHORA ERES MÍA.

NO, MORTON. NO PIENSO ENSEÑARLE ESA BAZOFIA A JAMESON. ¡VETE DE AQUÍ Y SACA ALGUNAS FOTOS QUE SÍ PODAMOS UTILIZAR!
PERO SI...
"MUY SUAVE", ME DICE. "DALE MÁS INTENSIDAD", DICE...
...ES SOLO UN ARTÍCULO DE RELLENO, UN ESTÚPIDO ARTÍCULO DE RELLENO Y TE HAS PASADO TRES HORAS CON EL PRIMER PÁRRAFO...
¿QUÉ PASA, BEN?
RING
ESPERAD...
Siempre que se acerca el CIERRE de la EDICIÓN MATUTINA, reina el CAOS en el DAILY BUGLE de NUEVA YORK. Entonces...
...recibo una LLAMADA.

YO TE DIRÉ CUÁL ES EL PROBLEMA. TIENE QUE REDACTAR UN ARTÍCULO CON LAS TÍPICAS DECLARACIONES QUE HA HECHO UN EX PRESIDENTE MIENTRAS HACÍA ALGO DE BRICOLAJE EN UN PROYECTO BENÉFICO. NO ES QUE SEA UN GRAN RETO LITERARIO...
¡...PERO URICH ES INCAPAZ DE ESCRIBIR ESTE ARTÍCULO!
¿QUIÉN HA ENCARGADO A NUESTRO REPORTERO DE SUCESOS MÁS IMPORTANTE UN ARTÍCULO ASÍ?
¿PUEDE HABLAR MÁS ALTO...? NO LE ESCUCHO...
¡BECARIO!
SOY EL TENIENTE MANOLIS, SR. URICH. HACE YA UN PAR DE DÍAS QUE PUEDO HABLAR... PERO, POR LO VISTO, SE LE HA OLVIDADO LLAMARME...
ESTOY DISPUESTO A CONTARLO TODO.
EL SR. URICH YA NO SE ENCARGA DE LA SECCIÓN DE SUCESOS. ÉL TUVO LA AMABILIDAD DE INFORMARNOS DE QUE HABÍA TOMADO ESA DECISIÓN. Y COMO ME PIDIÓ UN ARTÍCULO DE RELLENO, SE LO HE ASIGNADO.
PERO EL SR. URICH LLEVA TRES HORAS CON EL PRIMER...
CREO QUE SERÁ MEJOR QUE CUELGUES, BEN.
LO SIENTO, TENIENTE. ESTOY OCUPADO.
¿DÓNDE ESTÁ EL BECARIO?
CREO QUE NO ME HA OÍDO BIEN, SR. URICH.
QUIERO CONTARLE CÓMO AYUDÉ A KINGPIN A TENDER UNA TRAMPA A MATT MURDOCK.
Y AHORA ESTÁ SORDO. LECHES. NOS QUEDAN TRES MINUTOS PARA ACABAR CON UN ESPACIO EN BLANCO DE QUINCE CENTÍMETROS EN LA PÁGINA CINCO Y EL SR. URICH SE VUELVE SORDO.
JAMESON ME VA A ARRANCAR LAS...
CALMA, LICHTENSTEIN.
SERÁ MEJOR QUE CUELGUES, BEN.
NO CONOZCO A NADIE... CON ESE NOMBRE, TENIENTE.
¿SE HA MUERTO O QUÉ?

OH, LO ENTIENDO...
...OH, NO.

NO SÉ SI SABÍAS QUE, ÚLTIMAMENTE, URICH ES UN DESASTRE EN EL TRABAJO. ¡SU ÚLTIMO ARTÍCULO NO ERA DIGNO NI DE LA HOJA PARROQUIAL DE MI PUEBLO! ¡FINCH TUVO QUE RESCRIBIRLO DE ARRIBA ABAJO! ¡PERO, AL MENOS, TENÍAMOS ALGO QUE IMPRIMIR!
CUELGA YA, BEN.
¡ESTÁS MUERTO, BECARIO!
¿TENIENTE...?

A MI PATRÓN LE GUSTARÍA QUE ESCUCHARA ESTO, SR. URICH.

¡QUEDAN DOS MINUTOS! ¡DOS!
¡ME VA A MATAR! ¡ME VA A MATAR!
LÁRGATE, MORTON. TENEMOS UN PERIÓDICO QUE EDITAR.
CON ESOS CIEN PAVOS PODRÉ PAGAR EL ALQUILER...
¡FINCH!
¿DÓNDE ESTARÁ?

¡ME VA A MATAR!
VETE A CASA, MORTON.
DAME CINCUENTA PAVOS... Y EL LUNES TENDRÁS UNAS FOTOS QUE QUERRÁS ENMARCAR...
FINCH... NECESITO ESTO EN DOS MINUTOS.
¡LA NOTICIA DE LOS REHENES ESTÁ DE RABIOSA ACTUALIDAD, ROBBIE! ¡TENEMOS UNAS DECLARACIONES DE LOS TERRORISTAS QUE VAN A SER TODO UN FILÓN PARA LA PRIMERA PLANA! ¡LE PISAREMOS LA PRIMICIA AL POST!
PÁSALE ESTO A JANSON, POR FAVOR.

TEN CUIDADO POR DÓNDE VAS, MORTON.
¿CÓMO...?
APRECIO EL ESFUERZO, FINCH. RECUERDA... TIENES DOS MINUTOS.
BEN, TE QUIERO EN MI DESPACHO YA.
¡JANSON!

GRACIAS POR ESCUCHAR, SR. URICH.

"CUANDO OBTUVE MIS PODERES VIVÍ UNA NOCHE DE AUTÉNTICA AGONÍA."
"MIS SENTIDOS ESTABAN DESBOCADOS. TODO RUIDO Y OLOR ME HACÍA SUFRIR."
"PERO, ENTONCES, UNA MUJER ME DIO ESPERANZAS."

"NUNCA ME DIJO QUIÉN ERA."
"AUNQUE LLEVABA UNA CRUZ DE ORO QUE MIS DEDOS NUNCA OLVIDARÁN."
"ES ESTA MISMA CRUZ."

"¿QUIÉN PODRÍA QUERERME TANTO... A PESAR DE NO HABERME VISTO DESDE HACE TANTO TIEMPO...?"
"¿QUIÉN ERES, MAGGIE?"
LA FIEBRE SIGUE SUBIENDO, HERMANA.
REMITIRÁ.
LO HARÁ.

ESTÁS...
...ESTÁS ESTUPENDA, KAREN.

HUM... ¿QUÉ TAL TODO?
O SEA...

NUKE ESTÁ EN NICARAGUA.
LE HA LLEVADO DÍAS DESCUBRIRLO... DÍAS DE REBUSCAR CADA VEZ MÁS Y MÁS ENTRE LAS DIVERSAS RAMAS DE LA ORGANIZACIÓN Y DE LOS NEGOCIOS LEGALES DE LA MISMA, ASÍ COMO EN DESPACHOS MILITARES. INCLUSO HA TENIDO QUE SACIAR LOS VICIOS DE HOMBRES DE NEGOCIOS RESPETABLES... E INCLUSO UN GENERAL.
"TENGO UN GENERAL EN EL BOLSILLO...", ESE PENSAMIENTO FLOTA BREVEMENTE POR LA MENTE DE KINGPIN. "ESA ES UNA 'RAMA' QUE HABRÁ QUE CUIDAR CON ESMERO."
"ME LLEVARÁ UNOS CUANTOS DÍAS MÁS ALISTAR A NUKE. LUEGO, NECESITARÉ MÁS DÍAS VENCER SU OBSTINACIÓN... ASÍ COMO SU ILUSO PATRIOTISMO."
"Y ESOS DÍAS NO DEBEN DESAPROVECHARSE."

"TENGO QUE SACAR A MURDOCK DE SU ESCONDITE. QUIZÁ SI AMENAZO A SUS SERES QUERIDOS..."
"NO, SERÍA MUY OBVIO."
"PERO... SI COGIERA ESE DIMINUTO FRAGMENTO DE INTEGRIDAD QUE AÚN LE QUEDA... Y LO UTILIZARA EN SU CONTRA..."

SNAPP

EL SEÑOR DEL CRIMEN LLAMA A UNA PERSONA ESPECIALIZADA EN EL TRATAMIENTO DE PSICÓPATAS...
...QUE SIEMPRE LE OFRECE UNA SELECCIÓN EXCELENTE.

Juro que duró una ETERNIDAD...
HE HABLADO CON TU MÉDICO, BEN. ME DIJO QUE AYER TENÍAS QUE QUITARTE ESE VENDAJE.
QUIERO QUE TE TOMES UNOS DÍAS LIBRES. MIRA, ESTE ES EL NÚMERO DE UN BUEN PSIQUIATRA.
... una ETERNIDAD...

LO DIGO EN SERIO. ESTÁS ESTUPENDA...

...Nick emitió un GORGOTEO similar al de un SUMIDERO ATASCADO... al lograr RESPIRAR breve y horrendamente EN MEDIO de esa lucha desesperada por sobrevivir...
NO SE PUEDE FUMAR EN EL ASCENSOR.
...un solo jadeo repleto de DESESPERACIÓN...
"AHORA DEBO DE TENER... UNOS CUARENTA DE FIEBRE..."
"...ESO ES LO QUE PASA CUANDO UNO SE DEDICA A... NADAR EN EL EAST RIVER... Y DORMIR EN LA CALLE..."
"SERÍA TAN ESTÚPIDO QUE MURIERA DE NEUMONÍA..."
KAREN... ¿QUÉ TE HA PASADO?
CREÍA QUE NUNCA LO IBAS A PRE-GUNTAR.
...y, al final, el ESTERTOR.

Que también duró
una eternidad.

SUPONGO QUE YA SABRÁS QUE... NO, SEGURO QUE NO HAS VISTO MIS PELIS.
DIGAMOS QUE ME HE COMPLICADO LA VIDA HASTA EXTREMOS INSOSPECHADOS. DIGAMOS QUE...
...SOY UNA YONQUI Y SI NO DOY CON MATT, ME MATARÁN.

¿QUÉ TE HA PASADO EN LA BOCA, KAREN?
HA SIDO PAULO; LA MALA BESTIA CON LA QUE ESTOY AHORA.

COMO LE PONGA LAS MANOS ENCIMA A ESA RATA...
NO, FOGGY... NO.
SOLO NECESITO SABER DÓNDE ESTÁ MATT. ES QUE... MIRA, NO TE PUEDO DAR MÁS EXPLICACIONES, PERO ES EL ÚNICO QUE PUEDE SALVARME.

MATT HA DESAPARECIDO, KAREN. HAN PASADO MUCHAS COSAS DESDE TU MARCHA.
NUESTRO DESPACHO DE ABOGADOS HA QUEBRADO. MATT... BUENO, MATT LLEVABA YA TIEMPO COMETIENDO LOCURAS. HACE POCO, LO HAN ACUSADO DE VARIOS DELITOS.

NO.
MATT NO.

CREO QUE HA SIDO UNA **TRAMPA** QUE LE HAN TENDIDO UNOS **GÁNSTERES.** HICIMOS LO QUE PUDIMOS PARA **GANAR** EL JUICIO... PERO **PERDIMOS,** Y A MATT LE **PROHIBIERON** EJERCER LA **ABOGACÍA.**
LUEGO, SU **CASA** VOLÓ POR LOS AIRES Y MATT SE **ESFUMÓ.**
OH, **NO...** OH, **FOGGY...** ES...
¡TODO ES **CULPA** MÍA!

¿QUÉ QUIERES DECIR CON ESO, KAREN?
NADA. SOY UNA YONQUI Y DESVARÍO. NO QUERÍA DECIR NADA. SERÁ MEJOR QUE...
...ME **VAYA.**

NO. NO VAS A VOLVER CON EL TIPO QUE TE HA **PEGADO.**
TE VIENES A **MI** CASA, KAREN.
NO, FOGGY. ERES MUY **AMABLE,** PERO NO. PAULO... TE **MATARÁ.** NOS MATARÁ A LOS **DOS.**

NO PIENSO **ADMITIR** UN NO POR RESPUESTA, KAREN. TÚ Y YO SOMOS COMO DE LA **FAMILIA.** SOMOS...
...LA FAMILIA DE **MATT.**

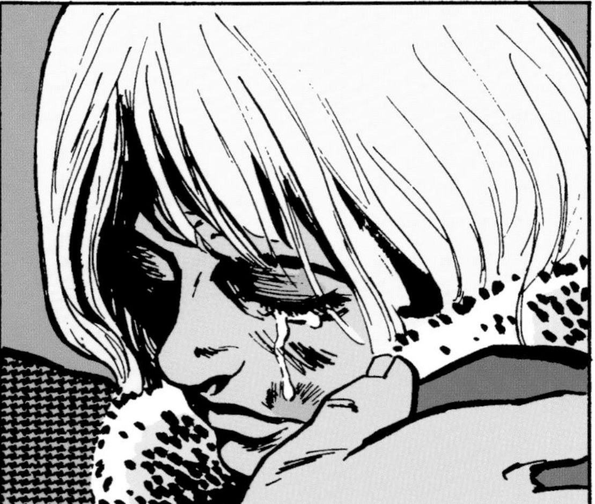

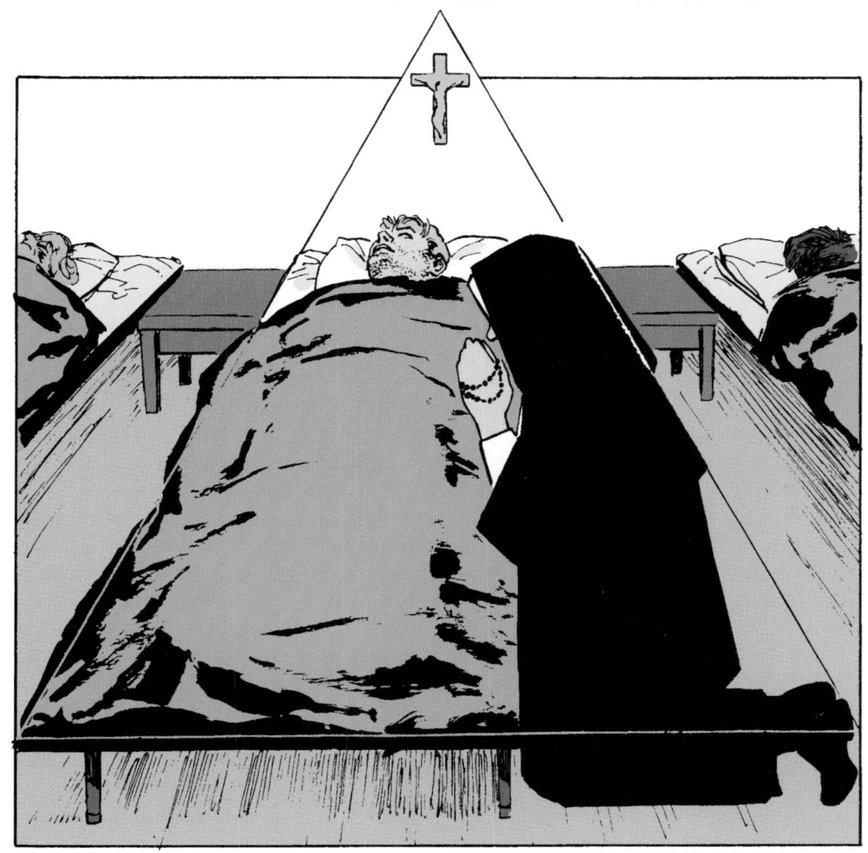

"LE **SUBE** LA FIEBRE, Y NO HAY FUERZA **HUMANA EN ESTE MUNDO** QUE PUEDA IMPEDIRLO. HA PERDIDO MUCHA **SANGRE.** SU CUERPO YA NO PUEDE **RESISTIR** MÁS."

"VA A **MORIR.**"

"PERO TIENE TANTO QUE **HACER,** SEÑOR."

"A PESAR DE QUE SU ALMA SE SIENTE **PERDIDA...**"

"...ES UN **BUEN** HOMBRE, SEÑOR."

"SOLO NECESITA QUE LE MUESTRES EL **CAMINO.** ENTONCES, SE **ALZARÁ** COMO UNO DE TUS **SIERVOS** Y TRAERÁ LA **LUZ** A ESTA CIUDAD PECAMINOSA. SERÁ COMO UN **RELÁMPAGO** EN TU **MANO** CON EL QUE IMPARTIRÁS JUSTICIA, SEÑOR."

"SI HE DE SER **CASTIGADA** POR MIS PECADOS PASADOS, QUE **ASÍ** SEA."

"SI HE DE **ACABAR** EN EL **INFIERNO,** QUE **ASÍ** SEA."

"PERO **PERDÓNALO** A ÉL."

"MUCHA GENTE LO **NECESITA.**"

"ESCUCHA MI **PLEGARIA.**"

...MATT MURDOCK.

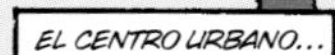
EL CENTRO URBANO...
COSTUMES
MELVIN POTTER PROPRIET
ESTO NO ME GUSTA. NO SÉ PARA QUIÉN TRABAJAS, FELIX.
PERO KINGPIN NUNCA TRAMA NADA BUENO.
¿QUÉ ES LO QUE NO TE GUSTA, POTTER? TE DEDICAS A CONSTRUCCIONAR DISFRACES, ¿NO? PUES HE VENIDO A ENCARGARTE QUE CONSTRUCCIONES UNO.

ADEMÁS, ESTABAS INFINITAMENTE FAMILIARIZADO CON ESTE DISFRAZ QUE VENGO A ENCARGARTE ANTES DE... RENUNCIAR A TU ESTATUTO COMO MIEMBRO PREFERENTE DE LA ÉLITE CRIMINAL PARA ABRIR ESTA TIENDA EN LA QUE CONVERSAMOS.
TE LO VOY A EXPLICAR DE OTRA FORMA: EJECUTAREMOS SUMERIAMENTE LA PREMATURA DEMOLICIÓN DE ESTE ESTABLECIMIENTO TAN BIEN CUSTODIADO...

...POR NO HABLAR DE QUE TE ARRANCAREMOS LAS PARTES DEL CUERPO QUE MÁS APRECIAS...
...SI NO NOS ENTREGAS UN DUPLICADO PERFECTO DEL UNIFORME DE CIERTO HOMBRE SIN MIEDO.

"UN PULSO PUEDE REVELAR MUCHAS COSAS."
"EL MÍO, POR EJEMPLO, SE HA RALENTIZADO CONSIDERABLEMENTE EN LAS ÚLTIMAS HORAS..."

"...DESDE QUE LA FIEBRE REMITIÓ."
"AHORA DISFRUTO DEL PLACER DE ESTAR SENTADO Y ESCUCHAR."
DIOS SE HA APIADADO DE ESE MUCHACHO.
DIOS ES JUSTO, HERMANA.

"EL CORAZÓN DE MAGGIE LATE A MI DERECHA. ESTÁ EN UNA FORMA ESTUPENDA. LE QUEDAN MUCHOS AÑOS DE VIDA."
"LA TENSIÓN HA ABANDONADO SU SUDOR. AHORA HUELE IGUAL QUE HACE AÑOS, CUANDO SE PRESENTÓ EN AQUEL HOSPITAL DONDE ESTABA INGRESADO."
¿TIENES HAMBRE?
AÚN NO. PERO LA TENDRÉ... GRACIAS A TI.

"ES UN AROMA AGRADABLE..."
"...QUE SE PARECE MUCHO AL MÍO."
DA GRACIAS AL SEÑOR.
MAGGIE...

¿ERES MI MADRE?

CLARO QUE NO, HIJO.

"UN PULSO PUEDE REVELAR MUCHAS COSAS. Y EL SUYO..."
"...SE HA DISPARADO."
"MIENTE."

Daredevil # 231
Ilustración de cubierta
Dibujo y Color: David Mazzucchelli.

FOGWELL'S GYM
FAPP

FAPP

EN RESUMEN, CABALLEROS, LA DELINCUENCIA VA EN AUMENTO... Y, POR TANTO, NUESTROS BENEFICIOS TAMBIÉN.
PUEDEN IRSE.
UN MOMENTO, SR. FISK.
NINGUNO DE LOS PRESENTES EN ESTA SALA SE ATREVERÍA JAMÁS A CUESTIONAR SU AUTORIDAD... NI SUS DECISIONES, SR. FISK.
NO OBSTANTE, CIERTAS ASIGNACIONES QUE SE HAN HECHO DE RECURSOS DE PERSONAL Y FONDOS HAN LLAMADO LA ATENCIÓN DEL CONSEJO... Y, BUENO, SEÑOR, SE HA HABLADO MUCHO...
...SOBRE MATT MURDOCK...

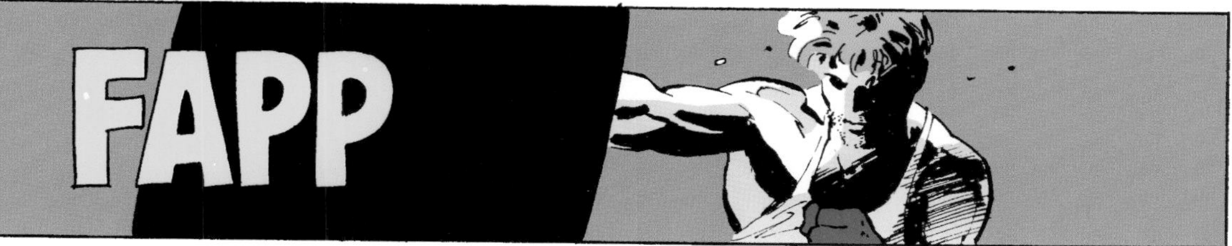
FAPP

...UNA VENDETTA, DE VEZ EN CUANDO, LE DA UN TOQUE PERSONAL AL... NEGOCIO, Y ESO ES BUENO PARA ANIMAR A LA TROPA. PERO, COMO DECÍA, SE HA HABLADO DEMASIADO DEL TEMA...
...Y, BUENO, YA SABE LO IMPORTANTE QUE ES LA CONFIANZA EN CUALQUIER NEGOCIO. SOLO LE PEDIMOS QUE NOS EXPLIQUE...
FAPP
CHINKK
SR. SWITZER... AQUÍ TIENE UN CHEQUE POR EL IMPORTE DEL VALOR ACTUAL DE SUS ACCIONES EN ESTE CONGLOMERADO EMPRESARIAL. CÓJALO, O SU FAMILIA MORIRÁ.
PUEDEN IRSE.
EL SR. SWITZER TIENE PREVISTO PASAR UN FIN DE SEMANA EN COLORADO...
...ESQUIANDO.
DONDE SE ROMPERÁ...
...LAS PIERNAS.
FAPP
FAPP
CHINKKK

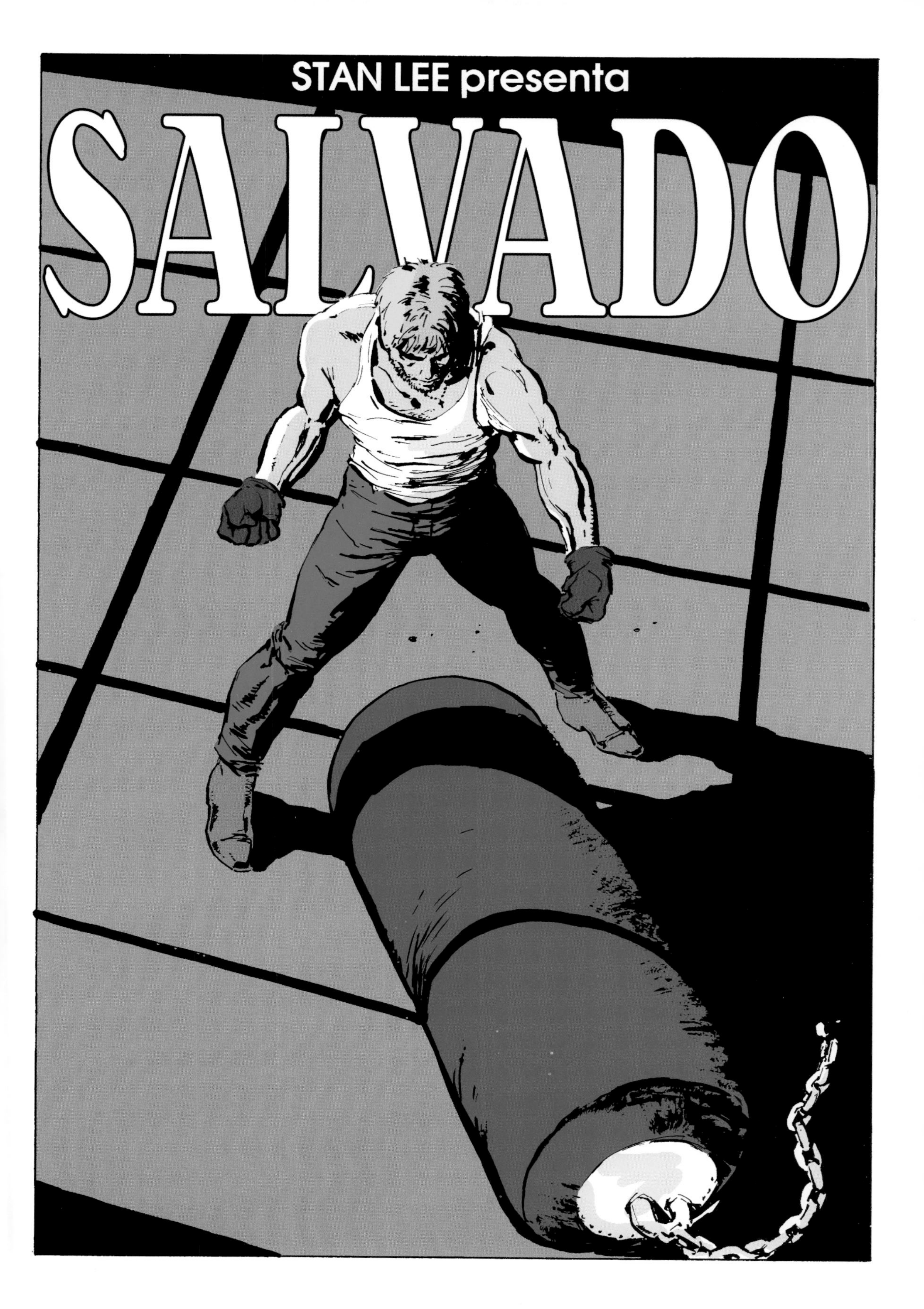
STAN LEE presenta
SALVADO

Me llamo BEN URICH y soy PERIODISTA.
Han TARDADO VEINTE minutos en tomarme DECLARACIÓN sobre el asesinato del teniente de policía NICK MANOLIS.
Eso fue hace TRES HORAS.
Que CONSTE que mi cerebro se convirtió en GELATINA cuando repetí mi declaración por QUINCEAVA vez.
...COMO NICK IBA A CONFESAR QUE HABÍA AYUDADO A *KINGPIN* A TENDER UNA TRAMPA A *MATT MURDOCK*...
...*KINGPIN* DIO LA ORDEN DE *MATARLO* PARA QUE NO *HABLARA*.
PERO NO *SÉ* POR QUÉ KINGPIN QUIERE HACERLE LA *VIDA IMPOSIBLE* A MURDOCK...

Pienso en MATT para mantener la MENTE ocupada.
MATT... me meterían en la CELDA DE LOS BORRACHOS si les contara lo que sé sobre TI...
...que un ISÓTOPO radiactivo te dejó CIEGO al golpearte en los ojos... y AGUDIZÓ el resto de tus SENTIDOS hasta niveles sobrehumanos.

KEEP
CITY
...que puedes saber si alguien MIENTE por los LATIDOS DE SU CORAZÓN, Matt.

...que puedes LEER una PÁGINA impresa al PALPAR la tenue marca que deja la TINTA con las YEMAS DE LOS DEDOS...

BUGLE
Poli estrangulado en un hospital

Kingpin, el rey del crimen
Primera entrega de seis por Ben Urich

Pero no, no les cuento todo ESO. Lo que sí les cuento basta para convencerlos de que deben asignarme un escolta con pinta de SUECO de metro ochenta de altura que no me deja ni a sol ni a sombra.
Ojalá pudiera decir que me siento MÁS SEGURO gracias al agente HEGERFORS.
Pero no es como tenerte a ti de escolta, MATT.
POL

Si supiera que sigues VIVO... me sentiría mucho mejor.
KINGPIN te despojó de tu CARRERA de abogado, de tu CASA y de todo cuanto tenías. Lo que te ha llevado al borde de un COLAPSO nervioso.
Nadie te ha VISTO en SEMANAS.

TIENES QUE ENTENDERLO, LOIS. TODOS LOS IMPLICADOS ESTÁN ENCANTADOS CON TU GRAN ACTUACIÓN EN EL ASUNTO MANOLIS. YO MISMO HE DEFENDIDO ANTE KINGPIN LA CALIDAD DE TU TRABAJO.
NO OBSTANTE, HAS MATADO A UN POLI...
Y COMO HICE UN TRABAJO TAN BUENO, MI PREMIO ES UN TRASLADO... ¿A ARIZONA?
¿PUEDES DECIRME QUÉ COÑO VOY A HACER YO EN ARIZONA?

TE ASEGURO QUE TU TRASLADO ES DE NATURALEZA TEMPORAL. EL HECHO DE QUE URICH HAYA DEMOSTRADO TENER AL FIN AGALLAS HA CAUSADO UNA HONDA CONSTERNACIÓN EN LA ORGANIZACIÓN...
SI EL SR. URICH ES EL PROBLEMA...
...LO "TRASLADARÉ" AL OTRO BARRIO.

ESA OPCIÓN ESTÁ DESCARTADA, LOIS, ES UNA ORDEN DIRECTA DE...
LOIS...

¿QUÉ ES ESTA COSA?
UNA HAMBURGUESA. Y NO ES LO PEOR QUE HAY EN EL MENÚ, AGENTE.
DEBERÍA PROBAR LAS ALBÓNDIGAS.
Diner
READ the Daily P

NO ME EXTRAÑA QUE ESTÉ TAN VACÍO.
POR ESO ME GUSTA. EN CUANTO UNO SE ACOSTUMBRA AL OLOR, ES UN BUEN SITIO DONDE PODER ESCRIBIR UN POCO.
BUENO, SERÁ MEJOR QUE LLAME A MI MUJER PARA DECIRLE QUE ESTA NOCHE TENEMOS VISITA.

CON UN SOFÁ ME VALE, SR. URICH.
NO CONOCE A DORIS.

BEN, ME DA IGUAL QUÉ HAYA DICHO ESE AGENTE. ES NUESTRO INVITADO; ADEMÁS, PUEDO PREPARARLE EN UN SANTIAMÉN UNA CAMA COMO ES DEBIDO.
NOK NOK
LLAMAN A LA PUERTA, CARI. HASTA AHORA.

¿HOLA?

SRA. URICH, SU MARIDO SE ENCUENTRA MUY MAL.

Tardamos cuarenta minutos en llegar a casa en metro.
NOK NOK
ABRE, CIELO. SOY YO.
DEBE DE TENER LA LAVADORA PUESTA.

KKLAKK CHKLAK klik
ME LLEVÓ MESES CONVENCERLA DE QUE DEBÍA CERRAR LA PUERTA CON LLAVE.
ES DE IDAHO, Y SUELE PECAR DE CONFIADA.

NI SIQUIERA NUEVA YORK HA CAMBIADO SUUUFFF

COF, DORIS...

THWOKK

G... GG... GG...
DORIS...
OH, NO, DORIS...

GGG...
OH, NO, CIELO. AY, DIOS. **NO...**
EL NUDO ESTÁ MUY **APRETADO,** CIELO. AY, **DIOS,** MI AMOR...
KRAKK
¿QU...?
CHUDD

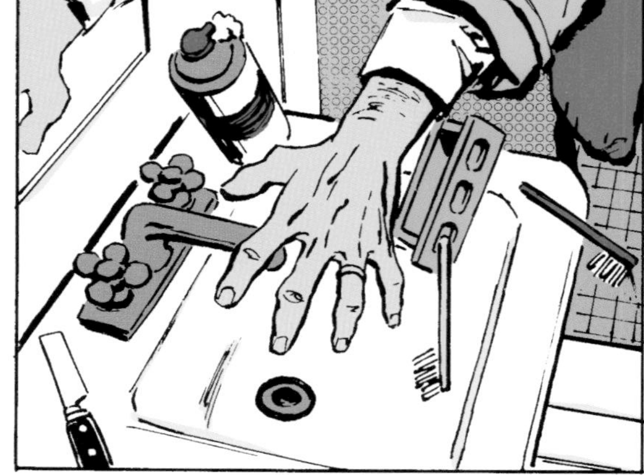

THAK
KKRAKK

NO TE MUEVAS, CIELO. NO TE MUEVAS...

COF HKKK COF

En mi propia CASA...
en mi propia CASA...

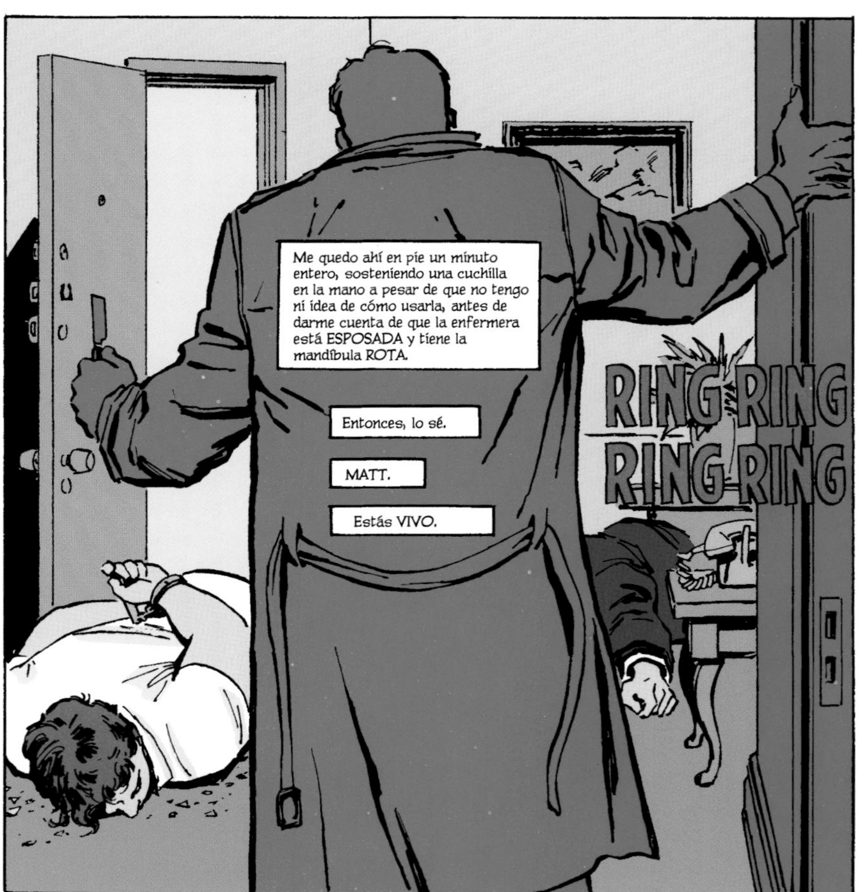

Me quedo ahí en pie un minuto entero, sosteniendo una cuchilla en la mano a pesar de que no tengo ni idea de cómo usarla, antes de darme cuenta de que la enfermera está ESPOSADA y tiene la mandíbula ROTA.
Entonces, lo sé.
MATT.
Estás VIVO.
RING RING
RING RING

¿HOLA? ¿SR. URICH?
QUIZÁ NO SE ACUERDE DE MÍ. SOY MELVIN POTTER.

SÍ, ESO ES, SR. URICH... HOY HE LEÍDO SU ARTÍCULO EN EL BUGLE SOBRE KINGPIN.
DEBERÍAMOS HABLAR. O SEA, TENEMOS QUE HABLAR... ESTA MISMA NOCHE.

ES SOBRE DAREDEVIL. Y ES URGENTE.
¿ESTA NOCHE? ESTA NOCHE NO PUEDE SER. MAÑANA HABLAMOS.

PERO TIENE QUE SER ESTA NOCHE... ES CUESTIÓN DE VIDA O -CLIC-

En mí propia CASA.

ESTE TIENE FIJACIÓN CON LAS FAMILIAS.
ME TEMO QUE NO PUEDO DARLE UNA CIFRA EXACTA DE VÍCTIMAS... YA QUE SU EXPEDIENTE ES CONFIDENCIAL GRACIAS A SU ABOGADO... PERO ES UN NÚMERO RESPETABLE.

LE VAN LOS CUCHILLOS EN GENERAL. PERO SEGURO QUE SE LE PUEDE CONVENCER DE QUE USE UN BASTÓN.
AUNQUE LE ADVIERTO DE QUE ES... IMPREDECIBLE.
ME VALE. PREPÁRELE EL ALTA.

...DIJERON QUE SI NO LES HAGO ESE DISFRAZ DE DAREDEVIL, VOLARÁN LA TIENDA POR LOS AIRES Y ME MATARÁN, BETSY.
SÉ QUE TRAMAN ALGO MUY CHUNGO. LO QUIEREN PARA ESTA NOCHE, Y NO SÉ QUÉ HACER.

...ME SIENTO FATAL. YA SABES LO MUCHO QUE DAREDEVIL HIZO POR MÍ. SI NO FUERA POR ÉL, AHORA ESTARÍA EN LA CÁRCEL. PERO MI TIENDA...
...BETSY... DEJA DE PREGUNTARME CÓMO ME SIENTO, POR FAVOR. AHORA NO TE NECESITO COMO TERAPEUTA, SINO QUE NECESITO SABER QUÉ HE DE HACER.

NO, NO... DÉJATE DE ROLLOS. ESTÁ CLARO QUE NO SABES QUÉ DEBO HACER. NO SE QUÉ HAGO HABLANDO CONTIGO.
ADIÓS, BETSY.

MELVIN.

HAZ ESE DISFRAZ.
NO HARÁS DAÑO A NADIE.

ME ALEGRO DE ESCUCHAR TU VOZ, DAREDEVIL.

KAREN... HUM... ¿PUEDO HACER ALGO POR TI?
ESTÁ ENFERMA... MUY ENFERMA Y NO DEJA DE VOMITAR...
...NO TIENE NADA EN EL ESTÓMAGO PERO SU CUERPO NO LO SABE Y ESTÁ TAN ENFERMA...

...FOGGY... TODO PARECE TAN ABSURDO CON ÉL AQUÍ... FOGGY FORMA PARTE DE OTRO MUNDO...
NO, FOGGY... ES-TOY BIEN...
...UN MUNDO EN QUE KAREN PAGE ERA LA GUAPA E INOCENTE SECRETARIA DE FOGGY...
...Y MATT...

...ANTERIOR A LAS PELÍCULAS, LOS HOMBRES Y... Y LA DROGA.
CREÍA QUE PODRÍA VOLVER A ESE OTRO MUNDO... CREÍA QUE NE-CESITABA VOLVER A ÉL, PERO...
...SOLO NE-CESITA OTRO CHUTE...

...NECESITABA A MATT... PERO MATT HA DESAPARECIDO Y PROBABLEMENTE ESTÉ MUERTO POR CULPA SUYA...
...LO TRAICIONÓ, VENDIÓ SU IDENTIDAD SECRETA POR UN PUÑETERO CHUTE... COMO UNA YONQUI CUALQUIERA...
"SI AHORA SALTARA AL VACÍO, FOGGY NO PODRÍA IMPEDÍRMELO..."

PAULO... ES PAULO... ME ESTÁ ESPERANDO EN LA CALLE. HA DEBIDO SEGUIRME TODO EL RATO... DESDE QUE SALÍ DEL HOTEL...
¿ESE ES EL TIPO QUE TE PEGÓ? ¿DÓNDE ESTÁ?

...DIJO QUE ME MATARÍA SI HUÍA DE ÉL... ESTÁ LOCO... NOS VA A MATAR A LOS DOS...
Y UNA LECHE. VOY A LLAMAR A LA POLICÍA.

EL SR. POTTER HA HECHO UN TRABAJO CONMENSURABLE CON ESE DISFRAZ.
ESTOY SEGURO DE QUE ESTARÍAS DE ACUERDO SI FUERAS MÁS COMULGATIVO.
PÓNTELO... Y ESCUCHA ATIENTAMENTE LAS INSTRUCCIONES QUE TE VOY A DAR...

...SERÁS DEPOSITADO EN UN CALLEJÓN SITUADO JUNTO A UN EDIFICIO DE APARTAMENTOS. ASCENDERÁS POR LA ESCALERA DE INCENDIOS Y ENTRARÁS EN EL REDICHO EDIFICIO POR LA ENTRADA DEL TEJADO, QUE ESTARÁ ABIERTA.
DESPUÉS, BAJARÁS HASTA EL APARTAMENTO 5B. DONDE UTILIZARÁS ESTE BASTÓN QUE TE VOY A ENTREGAR...

...PARA CAUSAR DAÑOS ANATÓMICOS EXTENSOS A UN TAL FRANKLIN NELSON Y A CUALQUIER OTRA PERSONA QUE HABITE EN EL APARTAMENTO.
REDICHO DAÑO HA DE SER DE NATURALEZA PERMANENTE.

EEEEEEE

NO MUEVA NI UN MÚSCULO.
ARRIBA LAS MANOS.
POLICE

CLARO, AGENTE.
COMO QUIERA.

BLAM

POLIC

BLAMM

SE ESTÁ LIANDO UNA **BUENA,** JEFE. UN **PAYASO** ARMADO CON UNA **ESCOPETA** SE ACABA DE CARGAR A DOS **POLIS.**
PAGE SIGUE EN EL PISO. **¿ACTUAMOS?**

QUEDAOS DONDE ESTÁIS.
MATAD A **PAGE** O **NELSON** SI INTENTAN ABANDONAR EL EDIFICIO. PERO NO OS DURMÁIS, PRONTO LLEGARÁN MÁS POLICÍAS.

"LA POLICÍA... NO HARÁ FALTA QUE LA **PRENSA** SE PRESENTE EN EL LUGAR COMO HABÍA PLANEADO. LA POLICÍA **VERÁ** A **DAREDEVIL** EN EL LUGAR DE LOS HECHOS."
"Y **MATT MURDOCK** VERÁ CÓMO SU **ÁLTER EGO** ES ACUSADO DEL **ASESINATO** DE SU MEJOR **AMIGO** Y **EX SOCIO.**"
"PERO TODO HA DE HACERSE A SU **DEBIDO** TIEMPO, EL **PSICÓPATA** QUE HE CONTRATADO TENDRÁ QUE ACTUAR CON **RAPIDEZ...**

...ACTÚA CON **RAPIDEZ. PENETRA** EN EL HABITÁCULO POR LA VENTANA, Y NO TE OLVIDES DE LA **RUTA DE FUGA**. SI NO, TE **APRESARÁN,** LO CUAL CONLLEVARÁ QUE EL PLAN **FRACASE OSTENTÓREAMENTE.**
APARTAMENTO 5B. REPÍTELO PARA CERTIFICARME QUE TE HAS **ENTERADO** DE ALGO DE LO QUE HE DICHO.

THWAKK
5B.
5B.
5B.
5B.
5B.

HAN DISPARADO A **DOS** POLICÍAS... SÍ, ENTRE LA **DIECISIETE OESTE** Y **COLUMBUS.**

AHORA MISMO VIE...
KRSHH

"PERO, PARA MÍ YA NO HAY ESPERANZA... ESTOY MUERTA..."
OHHH
"...FOGGY... VOLVERÉ CON PAULO Y ASÍ NO MATARÁ A FOGGY..."
"...ASÍ HARÉ ALGO BIEN..."
NNFF
THMPP
THWAKK
"...QUIZÁ... QUIZÁ SI HABLO CON PAULO... SI SOY AMABLE CON ÉL... SOLO ME PEGUE UN POCO..."
"...QUIZÁ... HASTA ME DÉ UN CHUTE... SIEMPRE LLEVA JACO ENCIMA..."
WHOKK
"...YONQUI TARADA, TE VA A MATAR..."
"PIENSA EN FOGGY..."

"ES UNA LÁSTIMA PERDER A NELSON. HACE POCO, HABÍA MOVIDO LOS HILOS PERTINENTES PARA CONTRATARLO."
"SERÁ UN PEQUEÑO SACRIFICIO CON EL QUE... SACARÉ A MURDOCK DE SU ESCONDITE... ASÍ SABRÉ POR FIN... DÓNDE ESTÁ..."
PAGE ACABA DE SALIR A LA CALLE, JEFE. ALLÁ VAMOS.

KAREN, GUAPA...
PAULO... TENEMOS QUE HABLAR...

CLARO, GUAPA.
HABLEMOS.
AAA

¿LOS DOS?
CLARO.
FUPP

AAAH... ¿QUÉ...?

SPAK SPAK SPAK
VAMOS...

KRAKK
SB.
SB.
KLUDD
SB.
WHUKK
SBB...
SNAKK
WHHNNNGGGG

KAREN.

BLAMM

FUPP

ME HAN DADO, GUAPA. COGE EL ARMA...
...NO... PUTA YONQUI...
...NO ME MANGUES...
PFF

"ESTOY EN UN CALLEJÓN SIN SALIDA... PERO... ¿QUÉ MÁS DA...?"
"...ME METERÉ UN ÚLTIMO CHUTE... POR ÚLTIMA VEZ..."

FUPP

TÚ TE VIENES CONMIGO, KAREN PAGE...

"UN ÚLTIMO CHUTE, SÍ... DEJA DE TEMBLAR... ENCUENTRA LA VENA..."
"NI VAS A SENTIR LA BALA... UN ÚLTIMO... ENCUENTRA LA VENA... TE QUIERO, MATT..."

THWOKK

THUNK

PERO, ¿QUÉ...?

THOKK

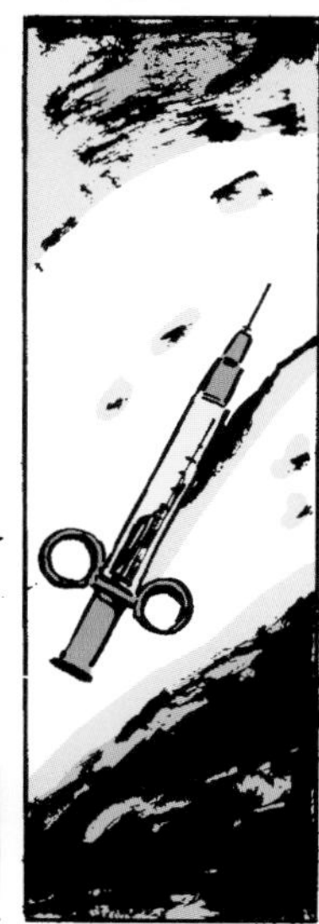

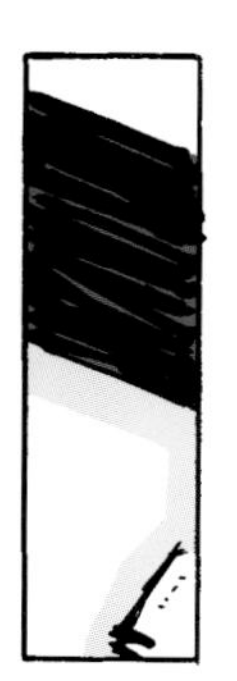

En caso de que seas demasiado VAGO
como para leer el periódico... o, aún PEOR,
te enteres de esto por la TELEVISIÓN...
has de saber que han pasado MUCHAS
cosas MUY interesantes.

La policía ha hallado CUATRO CADÁVERES
en las cercanías de un EDIFICIO
DE APARTAMENTOS del West Side,
y a un quinto tipo DESNUDO que seguía VIVO en el
TEJADO del mismo, y que había sufrido
CONTUSIONES múltiples.

El cual resultó ser un LUNÁTICO
en tratamiento.

El MÉDICO que permitió que saliera
a la calle trabaja ahora en FLORIDA.

Como JARDINERO.

Dos de los MUERTOS eran criminales
conocidos. Ambos habían estado en la CÁRCEL.
De hecho, uno de ellos, FELIX MANNING,
se hallaba en LIBERTAD CONDICIONAL.

Sus CADÁVERES y su historial laboral
han llevado a que se inicie una INVESTIGACIÓN
que mantendrá a los ABOGADOS
de Kingpin ocupados durante MESES.

Los otros dos eran los agentes SPANNER
y TRUMBULL del cuerpo de policía de
Nueva York. Dejan un marido, una esposa
y cuatro hijos preguntándose POR QUÉ.

Dos más fueron detenidos cuando HUÍAN
del escenario del crimen. Uno era MICHAEL
KEMP, un DON NADIE de libro. El otro,
PAULO SCORCESE, se enfrenta a varias
CADENAS PERPETUAS por ATRACO,
TRÁFICO DE DROGAS y ASESINATO.

¿Y DORIS? Bueno, le sigue doliendo el
CUELLO y lleva una BUFANDA para esconder el HEMATOMA. Pero ya puede
HABLAR e incluso se ríe cuando le digo
que habla con VOZ AGUARDENTOSA.

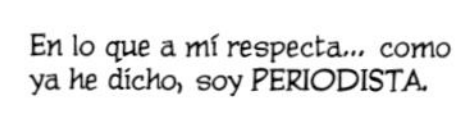

En lo que a mí respecta... como
ya he dicho, soy PERIODISTA.

Así que voy a descubrir dónde se
encuentra MATT MURDOCK...

...y QUÉ ha sido de él.

Daredevil # 232
Ilustración de cubierta
Dibujo y Color: David Mazzucchelli.

DAME UNA ROJA.

NUESTROS CHICOS... NUESTROS CHICOS...
NUKE... NO TE EQUIVOQUES, CHICO. NO TE EQUIVOQUES.
NO ESTÁS EN VIETNAM...

NO BUSCAS A DESAPARECIDOS EN COMBATE.
ESTO ES NICARAGUA...
CASI... SE ME OLVIDA PONER A CERO A BETSY...

ES MI MEJOR CIFRA... POR AHORA...

...PERO LA MEJORARÉ POR USTED, CORONEL.
PRONTO VAS A TENER LA OPORTUNIDAD, MUCHACHO.

YA QUE HAY MUCHOS ENEMIGOS AHÍ ABAJO.
Y TIENEN A NUESTROS... MUCHACHOS...

BETSY EMITE UN ZUMBIDO EN CUANTO LA PASTILLA ROJA EMPIEZA A HACER EFECTO Y LA VOZ DEL CORONEL DEJA DE RALENTIZAR LAS COSAS.
...NUESTROS CHICOS...
BETSY SABE QUÉ HAY QUE HACER. EL PROGRAMA ESTÁ PREPARADO.
FASE UNO.

NAPALM.

SABE QUÉ HACER.

Y LLEVA LA CUENTA.
005

BR RAKABRAK
LA PASTILLA ROJA HACE PLENO EFECTO JUSTO AHORA... UNA OLEADA INMENSA DE ADRENALINA LO INVADE...

032
BUDDA BUDDA
045
NUESTROS CHICOS...
BRAKK
088

DAME UNA BLANCA.

¿Y AHORA QUÉ?
PUES NO TE LO VAS A CREER, MUCHACHO.

VAS A MONTARTE EN UN AVIÓN CIVIL. VUELVES A CASA, A NUEVA YORK.
HE RECIBIDO LA ORDEN DIRECTAMENTE DEL GENERAL JUSTO CUANDO ESTABAS LIMPIANDO LA ZONA.

ME PARECE QUE EL GENERAL SE HA BUSCADO UNOS NUEVOS AMIGOS.
NUEVA YORK... AMÉRICA...

AMÉRICA.
...ME ALEGRO DE QUE HAYA PODIDO ATENDER MI LLAMADA, SR. FISK... ESTO... CREÍ QUE LE ALEGRARÍA SABER QUE...
...ESTO... NUKE... ES DECIR, EL AGENTE SIMPSON... BUENO, YA ESTÁ EN CAMINO, SR. FISK. VA PARA ALLÁ. COMO... COMO QUERÍA...

...BUENO... ESTO... YO YA HE ENTREGADO LO PROMETIDO, SR. FISK... Y... ESTO...
...AHORA ESPERO QUE USTED ME ENTREGUE LO QUE ME PROMETIÓ...

NUKE.
QUÉ NOMBRE TAN SENCILLO Y TAN DIRECTO.
AHORA EL REY DEL CRIMEN VA A APUNTAR CON ESA ARMA NUCLEAR AL HOMBRE AL QUE ESTÁ APRENDIENDO A ODIAR.
AL HOMBRE AL QUE ESTÁ APRENDIENDO A TEMER.
MURDOCK.

KAREN PAGE INTENTA GRITAR PERO EL ÚNICO SONIDO QUE EMITE ES UN GRITO AHOGADO AL MORDER EL HOMBRO DE MATT...
...ENTONCES, PIENSA EN LO QUE APRENDIÓ EN LA UNIVERSIDAD... EN LA CLASE DE CIENCIAS... EN LO QUE APRENDIÓ SOBRE LOS AGUJEROS NEGROS...
...SON ESTRELLAS QUE SE COLAPSAN SOBRE SÍ MISMAS Y DEJAN DE BRILLAR... QUE SE COLAPSAN HASTA QUE NO QUEDA NADA DE ELLAS, INCLUSO MENOS QUE NADA...
...SOLO UN AGUJERO QUE LO CHUPA Y ABSORBE TODO Y SE LO LLEVA A NINGUNA PARTE... QUE SOLO ABSORBE Y ABSORBE...
...A ELLA LE DARÍA IGUAL DEJARSE LLEVAR Y DESAPARECER... PERO LOS FUERTES BRAZOS DE SU SALVADOR LA MANTIENEN AQUÍ, EN LA TIERRA...
...Y PIENSA EN ÉL... EN MATT MURDOCK...
...MATT... EN SU DÍA, ESTUVIERON A PUNTO DE CASARSE, ESO FUE ANTES DE LAS PELÍCULAS... ANTES DE QUE LO ABANDONARA PARA CONVERTIRSE EN UNA ESTRELLA...
...LAS PELÍCULAS FUERON DE MAL EN PEOR Y, POCO A POCO, KAREN FUE VENDIENDO SU ALMA...
...EL ÚLTIMO FRAGMENTO LO VENDIÓ POR UN CHUTE DE HEROÍNA... POR UN PUTO CHUTE PARA LA PUTA YONQUI EN QUE SE HABÍA CONVERTIDO...
...VENDIÓ EL ÚLTIMO FRAGMENTO DE DIGNIDAD QUE LE QUEDABA... MATT... VENDIÓ A MATT... LE DIJO A UN CAMELLO QUE MATT ES DAREDEVIL...
...Y EL CAMELLO VENDIÓ ESA INFORMACIÓN A SUS ENEMIGOS... QUIENES LE ARREBATARON A MATT SU CASA, SU CARRERA COMO ABOGADO Y TODO LO DEMÁS...
...NO... TODO NO...

STAN LEE presenta

DIOS Y PATRIA

Por el amplio SÉQUITO que arrastro conmigo, se podría pensar que soy un alto DIGNATARIO... o un HAMPÓN.
Pero NO lo soy. Me llamo BEN URICH, y soy PERIODISTA.
Hoy en día, soy un periodista que anda metido en UN BUEN MARRÓN... investigo al CRIMINAL más importante de esta ciudad... a KINGPIN... e intento seguir VIVO mientras tanto.
Si quiero SOBREVIVIR, he de dar con el ENEMIGO de Kingpin. Un hombre llamado MATT MURDOCK, quien siempre ha guardado muchos SECRETOS, pero ahora MÁS. Como por ejemplo:
Dónde está.
HA SIDO AMIGO ÍNTIMO DE MURDOCK DESDE LA UNIVERSIDAD, ¿VERDAD, SR. NELSON?
ÍNTIMO IGUAL ES MUCHO DECIR.
MIRE, SOLO VOY A HABLAR SI CON ESTO AYUDO A MATT, SR. URICH. ES DECIR, A LO MEJOR NO QUIERE QUE LO ENCONTREMOS...

¿CREE QUE ES BUENA IDEA QUE UN CIEGO DEAMBULE POR AHÍ SOLO?
NO, PERO...

Pero MATT no es un ciego NORMAL. Yo lo sé, NELSON. Pero, ¿y USTED?
...VALE, SR. URICH. CONFIARÉ EN USTED. MATT SIEMPRE HA HABLADO MUY BIEN DE USTED Y CON ESO ME VALE.
TODAS ESAS ACUSACIONES QUE HAN VERTIDO CONTRA ÉL SON FALSAS... TENDRÉ LISTO EL RECURSO DE APELACIÓN EN CUANTO TODO ESTE LÍO SE RESUELVA, PERO... BUENO...
...DESDE QUE NUESTRO DESPACHO DE ABOGADOS CERRÓ... E INCLUSO ANTES... MATT...

...BUENO, HE HABLADO CON ÉL... O SEA, ME **LLAMÓ POR TELÉFONO** DESPUÉS DE QUE SU **CASA** VOLARA POR LOS AIRES, Y... PARECÍA BASTANTE **CONFUSO...**
MÁS BIEN, PARECÍA QUE ESTABA **LOCO,** SR. NELSON. **YO** TAMBIÉN HABLÉ CON ÉL.

YO NO SERÍA TAN **TAXATIVO.** MATT SIEMPRE HA ESTADO UN POCO **DESQUICIADO**. O SEA, UNO NO PUEDE ESTAR **PREOCUPÁNDOSE** TODO EL DÍA POR ÉL...
...SEGURO QUE ESTÁ... MIRE, DEJE QUE LE MUESTRE LO QUE TENGO PREPARADO PARA LA **APELACIÓN.**

CLARO QUE TODAVÍA HAY MUCHAS **EVIDENCIAS** QUE... **HUUUUY...**

LECHES... SOY TAN...
¿DE DÓNDE HA SACADO ESTAS **FOTOS?**

SON DE **GLORI...** HUM... **GLORIANNA O'BREEEN...** ES...
¿LA NOVIA DE **MATT?** NUNCA ME **DIJO** QUE SALIERA CON ALGUIEN. PERO, CLARO, TAMPOCO SE **IMAGINABA** QUE...
¿VA A **VERLA** DENTRO DE POCO?

SÍ, SÍ. ESTO... HUM... LA VOY A VER **ESTA NOCHE...**
DÍGALE QUE ME LLAME, POR FAVOR.

NO ES DE ESAS QUE SUELEN FRECUENTAR LAS **GALERÍAS** DE EXPOSICIONES PARA **HACER LA PELOTA** A LOS **ENTENDIDOS** Y HABLAR SOBRE SU **INFANCIA** COMO SI LE **INTERESARA** A ALGUIEN.

TENEMOS UN PROBLEMA CON SU CHICA, CON LOIS.
DESDE QUE LA ARRESTARON TRAS INTENTAR ASESINAR A LA ESPOSA DE BEN URICH... HA ESTADO CONTANDO MUCHAS COSAS... SOBRE USTED.
EL FISCAL DEL DISTRITO SE HA MOSTRADO DE ACUERDO EN REDUCIR LOS CARGOS A CAMBIO DE QUE APORTE PRUEBAS EN SU CONTRA.

Y ESO NO ES TODO. DESDE QUE URICH EMPEZÓ A PUBLICAR ESOS ARTÍCULOS SOBRE USTED, EL FISCAL Y ÉL SON UÑA Y CARNE...
...GRACIAS AL CUAL, HA CONCERTADO UNA ENTREVISTA CON LOIS.

COMISARIO... SE OCUPARÁ DE QUE EL AGENTE COOGAN ESTÉ AHÍ DE SERVICIO EN EL MOMENTO DE LA ENTREVISTA.
ESO ES TODO.
SR. FISK... SOBRE ESAS FOTOS QUE...

SON BASTANTE EMBARAZOSAS, ¿VERDAD, COMISARIO? Y CON UNA CAMARERA TAN ORDINARIA... SU ESPOSA SE SENTIRÍA INSULTADA.
NO SE PREOCUPE POR ELLO, ESAS FOTOS ESTÁN A BUEN RECAUDO.
DESCUIDE.

OH, GLORI, QUERÍA VERTE ESTA NOCHE... ¿QUÉ? ¿UN NUEVO TRABAJO?
EN EL DAILY BUGLE. VAYA, URICH HABLABA EN SERIO. NO SABÍA QUE TÚ...
...NO, CIELO. NO QUERÍA INSINUAR NADA...

...ES QUE NUNCA ME HABÍAS PLANTEADO QUE PARA TI LA FOTOGRAFÍA... O SEA, NUNCA ME DIJISTE QUE... NO, NO... CREÍA QUE ERA SOLO UN HOBBY...
...SÍ, SUPONGO QUE AHORA YA LO SÉ... CLARO QUE ME ALEGRO POR TI, CIELO...
...BUENO, SOLO QUERÍA HABLAR CONTIGO... ES QUE ESTE TRABAJO...

OH, EL TRABAJO CORPORATIVO ESTÁ BIEN... Y EL SUELDO ES GENIAL... PERO...
...PERO CIERTAS COSAS QUE HACEN AQUÍ... NO ESTOY MUY SEGURO DE QUE SEAN LEGALES...

DESPUÉS DE HABER PASADO TODA LA NOCHE DESPIERTO CON ELLA...

...HA IDO A COMPRAR UNA MAQUINILLA PARA AFEITARSE ESTA MAÑANA TEMPRANO, Y LUEGO SE HA MARCHADO A TRABAJAR...

(...LE GUSTA MUCHO EL TRABAJO QUE HA ENCONTRADO...)

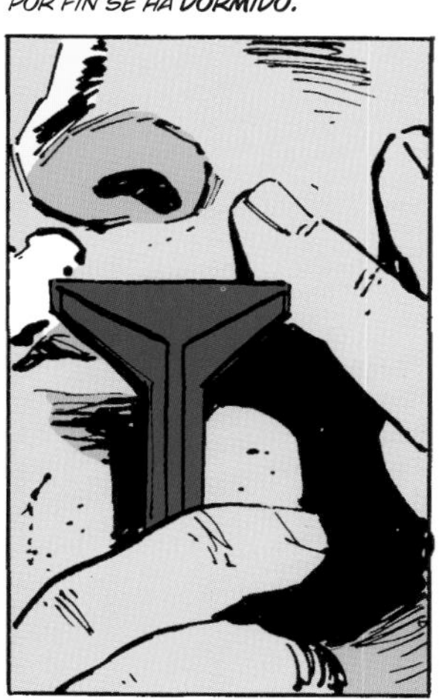
...CUANDO KAREN POR FIN SE HA DORMIDO.

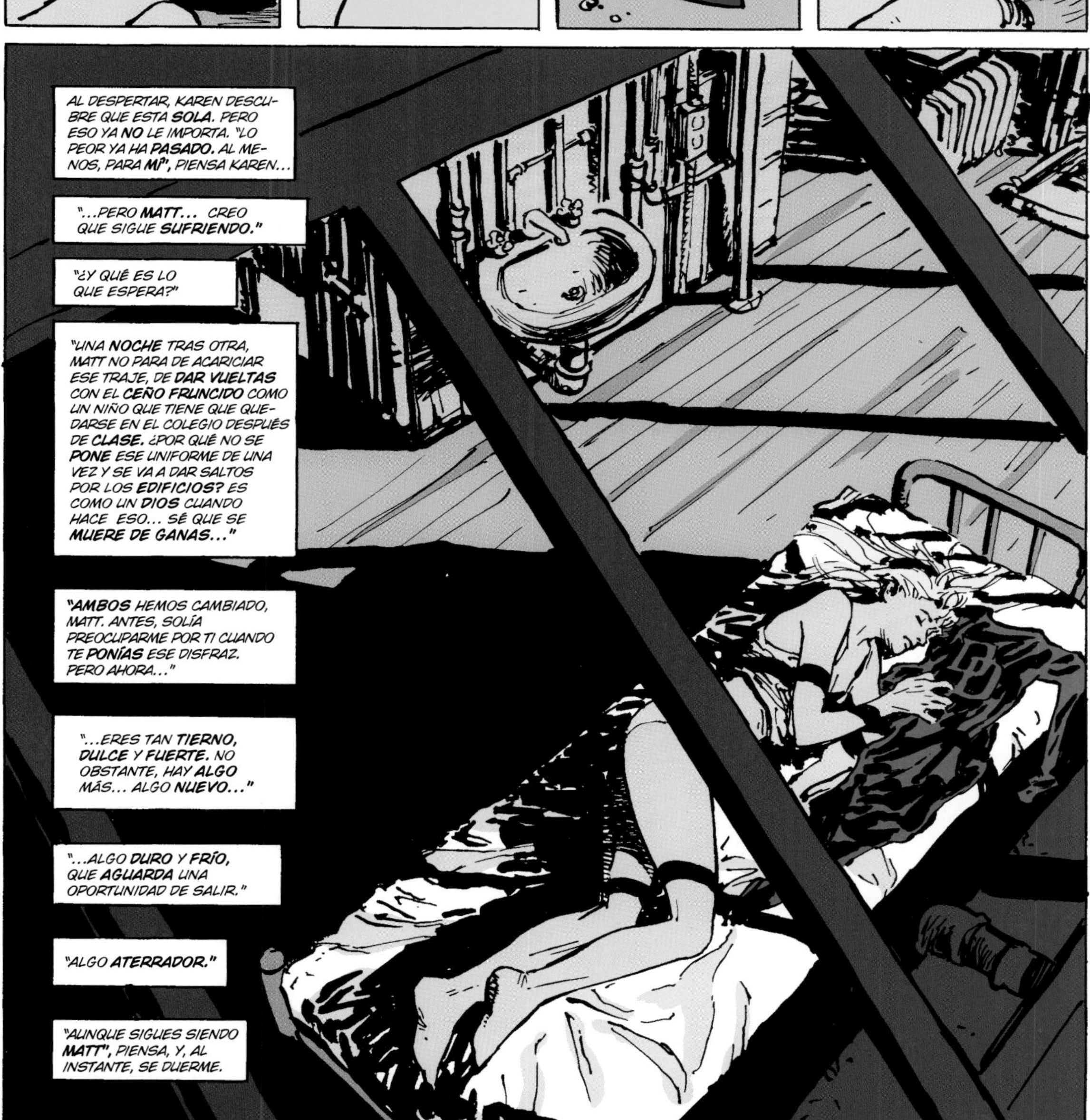
AL DESPERTAR, KAREN DESCUBRE QUE ESTA SOLA. PERO ESO YA NO LE IMPORTA. "LO PEOR YA HA PASADO. AL MENOS, PARA MÍ", PIENSA KAREN...
"...PERO MATT... CREO QUE SIGUE SUFRIENDO."
"¿Y QUÉ ES LO QUE ESPERA?"
"UNA NOCHE TRAS OTRA, MATT NO PARA DE ACARICIAR ESE TRAJE, DE DAR VUELTAS CON EL CEÑO FRUNCIDO COMO UN NIÑO QUE TIENE QUE QUEDARSE EN EL COLEGIO DESPUÉS DE CLASE. ¿POR QUÉ NO SE PONE ESE UNIFORME DE UNA VEZ Y SE VA A DAR SALTOS POR LOS EDIFICIOS? ES COMO UN DIOS CUANDO HACE ESO... SÉ QUE SE MUERE DE GANAS..."
"AMBOS HEMOS CAMBIADO, MATT. ANTES, SOLÍA PREOCUPARME POR TI CUANDO TE PONÍAS ESE DISFRAZ. PERO AHORA..."
"...ERES TAN TIERNO, DULCE Y FUERTE. NO OBSTANTE, HAY ALGO MÁS... ALGO NUEVO..."
"...ALGO DURO Y FRÍO, QUE AGUARDA UNA OPORTUNIDAD DE SALIR."
"ALGO ATERRADOR."
"AUNQUE SIGUES SIENDO MATT", PIENSA, Y, AL INSTANTE, SE DUERME.

A la CÁRCEL municipal la llaman las TUMBAS. Y tienen sus RAZONES para ello.
AHORRA CARRETE, GLORI. LAS FOTOS DE ESTE MARCO INCOMPARABLE SOLO VALEN PARA SER VENDIDAS A LOS TURISTAS. SACA A LA GENTE... Y PLASMA LO QUE OCURRE. EN ESO CONSISTEN, EN REALIDAD, LAS NOTICIAS.
LO SÉ. ME LO HA EXPLICADO BASTANTE BIEN, SR. URICH.

NO PROVOQUES A URICH, GLORI... JAMESON LE HA ENCARGADO QUE SE RESPONSABILICE DE TI. PERO URICH ES UN LOBO SOLITARIO. NI SIQUIERA LE GUSTA QUE LA POLI ESTÉ PRESENTE.
TENERME CERCA LE PONE DE MALA LECHE. PERO JAMESON HA DICHO QUE NECESITA PROTECCIÓN, Y, ADEMÁS, YO TENGO LOS AMIGOS ADECUADOS.
CALLA, BLANDERS.
KLIK

A MÍ NO ME VA LA SOLEDAD...
SIGUE ASÍ, Y TE ARRANCARÉ EL BRAZO.
BEN URICH, DEL DAILY BUGLE.
HEGERFORS.
COOGAN.

KLIK
URICH.
LOIS.
klak
klik
NO TIENES POR QUÉ CERRARLA, COOGAN. SOMOS BASTANTES COMO PARA...

COOGAN... ¿QUÉ ESTÁS...?

¿QU...?

BLAMM
KLIK

BLAMM

KBLAMM

BLAMM
KLIK

BLAMM
KLIK

KLIK

WHMPP
KLIK

KLIK

KLIK
WHMPP

WHMPP

TU PREDECESOR, EL PRIMER SUPERSOLDADO, VIVIÓ EN UNOS TIEMPOS MÁS SENCILLOS QUE LOS NUESTROS, COMBATIÓ EN UNAS GUERRAS MÁS SENCILLAS. PERO EL MUNDO HA CAMBIADO TANTO...
TANTO QUE... LOS QUE AMAMOS A AMÉRICA NOS VEMOS RODEADOS DE... ASESINOS MENTIROSOS Y NECIOS BLANDENGUES...
...QUE SE RÍEN DE NOSOTROS... DE LOS PATRIOTAS, HIJO MÍO...

...DISCULPA. ME RECUERDAS MUCHO A MI PROPIO HIJO. ES UN GRAN MUCHACHO. UN VETERANO DE GUERRA...
PERO VOY A SER SINCERO CONTIGO: TENGO A MUCHA GENTE EN CONTRA.

LA POLICÍA ME VIGILA ESTRECHA Y CONSTANTEMENTE. SEGÚN LA INTERPRETACIÓN LITERAL DE LA LEY, SOY UN CRIMINAL.
COMO TE DECÍA... EL MUNDO HA CAMBIADO MUCHO. LOS ENEMIGOS DE AMÉRICA SE HAN VUELTO TAN FUERTES QUE NUESTROS MUCHACHOS MUEREN EN LAS JUNGLAS DE ASIA...
...Y NUESTRO PUEBLO NO HONRA SU MEMORIA...

NUESTROS CHICOS...

...ADEMÁS, ME ATORMENTA SABER QUE LA NOBLE IDEA DE LA LIBRE EMPRESA... ESA GRAN CONQUISTA DE NUESTROS ANTEPASADOS... HA SIDO ASESINADA POR UNA LEGISLACIÓN ENREVESADA Y DESTRUCTIVA.
PARA PODER MANTENER UNA PÁLIDA SOMBRA DE ESE SUEÑO VIVO, DEBO.... DEBO QUEBRANTAR LA LEY...
...DISCULPA... ME...

A PESAR DE TODO, NO ESTAMOS SOLOS, NUKE. HAY OTROS QUE CREEN EN EL SUEÑO... AUNQUE APENAS SOMOS BASTANTES COMO PARA MANTENER VIVA LA ESPERANZA.
LOS QUE CONOCEMOS LA VERDAD HEMOS FORMADO UN TRIUNVIRATO CONFORMADO POR EL ESTADO, EL APARATO MILITAR Y LOS NEGOCIOS. DEBEMOS MANTENERNOS UNIDOS PARA LUCHAR CONTRA LA LOCURA QUE NOS RODEA, CONTRA ESA INFECCIÓN QUE AMENAZA CON ACABAR CON LA INTEGRIDAD DEL ESPÍRITU AMERICANO.
ALGUNOS AFIRMAN QUE ESTE TRIUNVIRATO ES UNA CONSPIRACIÓN... QUE AMÉRICA ES PERVERSA...
SÉ LO QUE DICEN. SÉ LO QUE DICEN.

...AHORA UN SOLO HOMBRE AMENAZA CON DESTRUIR TODO LO QUE HEMOS CONSTRUIDO. SE OPONE A MÍ... Y ME CONSIDERA UN VILLANO.
PERO YO NO SOY NINGÚN VILLANO, HIJO MÍO. SOY UNA CORPORACIÓN QUE FORMA PARTE DE UN CONGLOMERADO LLAMADO AMÉRICA. NO OBSTANTE, TIENE ALIADOS EN LA PRENSA...
LA PRENSA...

¿DÓNDE ESTÁ?
EN LA COCINA DEL INFIERNO.

"LA COCINA DEL INFIERNO ES UNA SINFONÍA COMPUESTA DE MÚSCULOS DOLORIDOS Y ESTÓMAGOS RUGIENTES... DE PIES DE NIÑOS QUE CAMINAN SOBRE CRISTALES ROTOS... Y DE UNA RISA DESESPERANZADA QUE REVERBERA POR TODO UN SOLAR VACÍO."
"YO NACÍ... Y RENACÍ EN LA COCINA DEL INFIERNO."
"LAS HAMBURGUESAS CHISPORROTEAN Y CREPITAN. EL BEICON SALTA EN LA PLANCHA, YA ESTÁ CASI LISTO. PERO LO MEJOR SON LOS HUEVOS..."
"ES TAN FÁCIL HACERLOS, SOLO SE TARDA UNOS SEGUNDOS EN QUE QUEDEN CONSISTENTES... Y LUEGO SE LES DA LA VUELTA CON RAPIDEZ Y CUIDADO..."
"Y SE RETIRAN DEL FUEGO MIENTRAS LA YEMA AÚN SE ESTREMECE SIN PODER REMEDIARLO..."

"...Y ASÍ PASA OTRO DÍA MARCADO POR LA ESPERA."
SE ACABÓ POR HOY, RED. HASTA MAÑANA.
DAME DIEZ SEGUNDOS MÁS Y LAS HAMBURGUESAS ESTARÁN PERFECTAS.

"HOY ESTO HA ESTADO ABARROTADO..."
"ESA TOS..."
"BEN..."

"...PARECE HALLARSE EN ESTADO DE SHOCK."
...VENGO AQUÍ A ESCRIBIR. LA COMIDA ES HORRIBLE, POR ESO SUELE ESTAR VACÍO.
PUES HOY ESTÁ ABARROTADO.
COMO TE VEO MUY DELGADO, LLÉVATE ESTA TARTA, RED. NO HAS PROBADO UNA COMO ESTA EN LA VIDA.
ES UN BARRIO HORRIBLE...

YA. LA COCINA DEL INFIERNO ES UN BARRIO MUY CHUNGO Y PELIGROSO. PERO COMO MATT NACIÓ AQUÍ Y...
¿DE-DE VERDAD HE MATADO A ESE HOMBRE?
NOS HAS SALVADO LA VIDA, BEN.
QUÉ HAMBURGUESA TAN RICA...

"LA PISTA NO ES MUY CONSISTENTE... ES SOLO LA PALABRA DE UN MALEANTE DE TRES AL CUARTO QUE AFIRMA QUE HA TENIDO EL PLACER DE APUÑALAR A MURDOCK UNOS DÍAS ANTES."

"AUNQUE SERÍA LÓGICO QUE SE ESCONDIERA EN ESE BARRIO, YA QUE ALBERGA A LOS QUE LO HAN PERDIDO TODO Y FUE SU HOGAR DE CRÍO."

"SÍ. MURDOCK APARECERÁ... CUANDO LAS LLAMAS DEVOREN LA COCINA DEL INFIERNO."

BRAKA BRAKABRAKKK
"ESTÁ A TRES... NO... CUATRO MANZANAS DE AQUÍ..."

"...LAS BALAS ATRAVIESAN LA CARNE Y EL HUESO..."
"...UNA MUJER ABRAZA CON FUERZA A SU BEBÉ Y ESCUCHA CÓMO BALBUCEA..."
"AL FALLARLE UN PULMÓN..."
"A TRES MANZANAS... UN HOMBRE LOGRA PRONUNCIAR UN NOMBRE A MEDIAS Y MUERE..."

PFAMM
"...UN MISIL SALE DESPEDIDO DE UN ARMA..."

WHOOM
Diner
"Y UN BORRACHO GRITA: 'DIOS'."

SACA LA CÁMARA.

PFAMM

"...OTRO MISIL...
Y SE DIRIGE HACIA..."
"...KAREN..."

WHOOM

SUBE, MUCHACHO...
TENEMOS COMPAÑÍA...
UNO
MÁS...
PFAMM

MATT...
¿ME MUERO?
NO. NO,
CIELO.
TE ENCUENTRAS
SANA Y SALVA.

ESTO TAMBIÉN. LO HE
PROTEGIDO PARA TI,
MATT.

"CREÍA QUE
TENDRÍA QUE SER
MÁS PACIENTE,
KINGPIN."
"CREÍ QUE
TENDRÍA QUE
ESPERAR
SEMANAS..."

"...A QUE COMETIERAS
UN ERROR... COMO
DESTROZAR MI CASA."

KPWEE
KPWEEE
KPWEE
¡FUEGO ENEMIGO!
¡ES UN HELICÓPTERO!

WHOOM
PFAMM
"EL PILOTO GRITA UNA ADVERTENCIA... Y EL ARTILLERO MUERE PROFIRIENDO UN JURAMENTO MIENTRAS..."

"DOS AMANTES DESCANSAN EN PAZ..."

"...Y LOS GRITOS ESTALLAN..."
"...POR TODAS PARTES."
"NUKE PASA CERCA..."

THWAKK

SPAKK

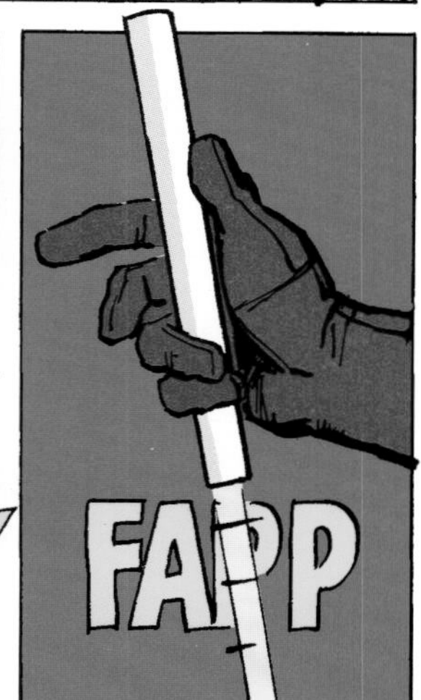
FAPP

DAME UNA ROJA.

Daredevil # 233
Ilustración de cubierta
Dibujo y Color: David Mazzucchelli.

STAN LEE PRESENTA
ARMAGEDÓN
ESTE CAPÍTULO ESTÁ DEDICADO CON TODO RESPETO A JACK KIRBY.

"LA COCINA DEL INFIERNO GRITA."
"LA FACHADA DE UN EDIFICIO SE CONVIERTE EN UNA AVALANCHA DEMOLEDORA... EL NAPALM CAE DESDE EL TEJADO HACIA LA CALLE ABARROTADA... Y UN COCHE EXPLOTA..."
"...FRAGMENTOS DE CRISTAL, AFILADOS COMO CUCHILLAS, SURCAN EL AIRE... Y ATRAVIESAN LA CARNE..."
"...LAS SIRENAS BERREAN COMO NIÑOS MALCRIADOS..."
"...NIÑOS... NO PIENSES EN LOS NIÑOS... NO LOS ESCUCHES..."
"...PIENSA EN... EL ARMA DE ESE LUNÁTICO..."
"ESCÚCHALA... AHORA DISPARA BALAS..."
"...Y ESCUCHA AL QUE DISPARA..."

NOS LARGAMOS, MUCHACHO. NUESTRO OBJETIVO SE HA ESFUMADO.
NO LE DECEPCIONARÉ, CORONEL...
DARÉ CON ÉL.

NO, NUKE... ABORTAMOS LA MISIÓN...
...NO LE DECEPCIONARÉ...

...NO DECEPCIONARÉ A LOS MUCHACHOS...
"POSEE UN CORAZÓN ROBUSTO... QUE LATE MUY DEPRISA... DEBE DE HABER TOMADO ANFETAMINAS..."
"...AUNQUE TENDRÉ SUERTE SI ESA ES LA ÚNICA SORPRESA QUE ME ESPERA..."

JEFE... ESTO SE NOS ESTÁ YENDO DE LAS MANOS... ESTÁ SALIENDO EN TODAS LAS NOTICIAS...
...TIENE QUE DETENERLO...
¿HAS SENTIDO ESO?
INCLUSO AQUÍ... A VEINTE MANZANAS DE DISTANCIA... LA TIERRA TIEMBLA...

SKREKK
BRAKKK
"ES MUY RÁPIDO..."
"Y CADA VEZ QUE DISPARA CON ESA COSA..."
"...AL OTRO LADO DE LA CALLE, UNA ANCIANA SE HACE UN OVILLO JUNTO A SU VENTANA TRAS SUFRIR UNAS HERIDAS QUE NUNCA CURARÁN..."
THWOKK
"...CADA VEZ QUE DISPARA, MUERE GENTE..."

"HE DE ENTREGARLO A..."
"ES MUY RÁPIDO."
WHKKK

"Y TIENE REFUERZOS... ESE HELICÓPTERO..."
BRAK
ABRAKAB
"...MANTENTE CERCA DE ÉL... PARA TENER UNA OPORTUNIDAD..."
SPAKASPAKA

"NO LE DES NI UN SEGUNDO..."
"GOLPÉALE EN LOS CENTROS NERVIOSOS, ESCUCHA LA ELÉCTRICIDAD DE SUS NERVIOS Y CORTOCIRCUÍTALOS..."
"NO FUNCIONA."

KLUDD

ES UNA CARNICERÍA... UNA MASACRE...
NO, ES UNA GUERRA. SIMPLEMENTE, LA HE TRASLADADO... DE LAS JUNGLAS DE SUDAMÉRICA...
...A LA COCINA DEL INFIERNO DE MANHATTAN...

"...NO SIENTE EL DOLOR..."
"...NO BUSQUES HACERLE DAÑO..."
"...SINO SUS OJOS..."

THWOKK
"...DA IGUAL... ESTÁ TAN CIEGO COMO YO..."

"...DEMASIADAS VÍCTIMAS... HAZ QUE LA SUELTE..."
"...LOS MÚSCULOS NO PUEDEN FUNCIONAR SI SE LES SECCIONA..."
"...NO... CASI ME ROMPO LOS DEDOS..."

JEFE... COMO NOS CARGUEN ESTE MUERTO...
TE OLVIDAS DE QUE NUKE ES UN AGENTE DEL GOBIERNO, WESLEY. ¿CREES QUE EL EJÉRCITO QUERRÁ QUE SE SEPA QUE EL SEÑOR DEL CRIMEN DE NUEVA YORK HA CONTRATADO SUS SERVICIOS?
NUESTRA DEFENSA ESTÁ EN MANOS DE NUESTROS NUNCA BIEN PONDERADOS MILITARES.

"...ESTÁ TAN CIEGO COMO YO... PERO CARECE DE... UNOS SENTIDOS SOBREHUMANOS..."
"...MI SENTIDO RADAR ME INDICA..."
"...DÓNDE ESTÁ TODO CON MÁS PRECISIÓN QUE LA VISTA..."
"...OLVÍDATE DE LOS NERVIOS... TANTAS VÍCTIMAS..."

"...OLVIDA LOS NERVIOS..."
"Y RÓMPELE LOS HUESOS..."
CHAKK

SNAKK
"NO... ESO NO ES HUESO..."
"...SE ACABÓ... DEJA DE IR DE LISTO..."

"...SE ACABÓ ..."
WHUKK

Me llamo BEN URICH, y soy PERIODISTA.
AHÍ... ENFOCA AHÍ...
LO TENGO...
KLIK
Un EJÉRCITO de un solo hombre ataca LA COCINA DEL INFIERNO. Y MATT MURDOCK intenta negociar un ALTO EL FUEGO...

...Unilateral.
SSZZZATT

ESTO ES DE LOCOS...
MARY...
TODAS LAS UNIDADES...
MI PIERNA MI PIERNA MI PIERNA
ES EL FIN DEL MUNDO...
...CUIDADO, GLORI. CUIDADO, GLORI...
GLORI, APARTA DE EN MEDIO...
KLIK
LO TEN-GO...
...SOCORRO, NO PUEDO RES-PIRAR...

SKKREKKK
KLIK
PFAM
...NO PUEDO RESPIRAR...
...NO SEAS IDIOTA...

No debería llamarlo MATT.
WHOOM
Hay que ser RESPETUOSO con él ahora que porta esas MALLAS.
Es DAREDEVIL. El hombre sin MIEDO.

No teme a las BALAS...
ni a los MISILES...
...ni al FUEGO.
KKRMPP

SI EL FUEGO LLEGA AL DEPÓSITO DE GASOLINA, ESTALLARÁ...
...VÁMONOS...
KLIK

AAAA
¡BEN!

NUESTROS... CHICOS...
QUÍTAMELA... QUÍTAMELA...
BEN... DEJA DE REVOLVERTE...
SKKRAK

VOY A POR TI, MUCHACHO...
BRAKA BRAKA

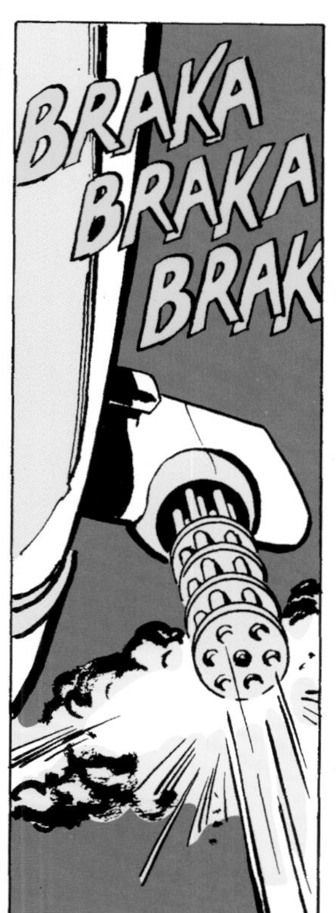
BRAKA BRAKA BRAK

OHHHH...
QUÍTA-MELA...

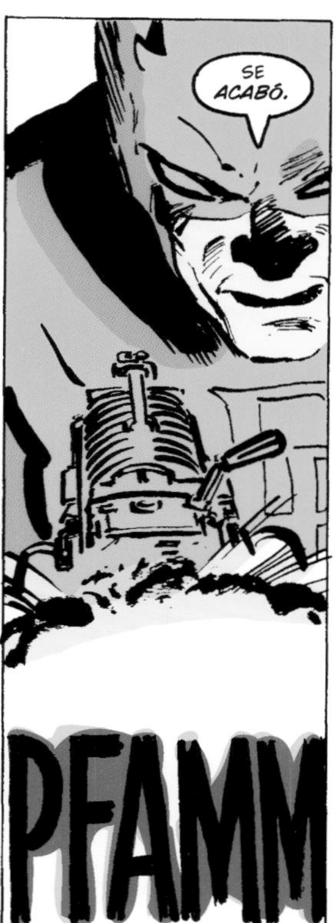
SE ACABÓ.
PFAMM

PERDÓNAME.

Aparecen de la NADA.
ESTA CHICA ESTÁ HERIDA.
¡VENGA AQUÍ, DOCTOR!

APAGAD EL FUEGO. NO QUEREMOS QUE ESTALLE LA TUBERÍA PRINCIPAL DE GAS.
Se trata de un SOLDADO con una VOZ que podría dar órdenes a un DIOS...

...y así es.
De repente, LLUEVE a CÁNTAROS.
Y todo aquel que aún puede permanecer callado, CALLA.

Salvo MATT.
KINGPIN TE HA ORDENADO HACER ESTO. CONFIÉSALO.
DAME UNA BLANCA... DAME UNA BLANCA...
DAREDEVIL...
POR MANDATO FEDERAL ESE HOMBRE ES NUESTRO.
APARTA DE ÉL.

TIENES CINCO SEGUNDOS.
Se escucha un ZUMBIDO mientras esos CIRCUITOS computerizados generan ENERGÍA suficiente como para echar abajo un EDIFICIO. Una energía que CONTIENE a la espera de su reacción.

Pero como Matt no es IDIOTA, se APARTA.

DAME... UNA BLANCA...

Es una noche muy LARGA.
Una noche HORRIBLE.

¡HA SIDO UN DISPARATE, KINGPIN! UN PURO DISPARATE.
CIENTOS DE PERSONAS HAN MUERTO... Y SI SEÑALAN AL SINDICATO COMO RESPONSABLE DE ESTA MASACRE, NOS VAMOS A PASAR MESES VISITANDO EL JUZGADO...
POR FAVOR, SR. GLAZER...

...NO SE REFIERA A NUESTRA ORGANIZACIÓN COMO UN SINDICATO. NO SEA ANTICUADO.
CLARO QUE SOY ANTICUADO. ANTES, QUIZÁ NOS CARGÁRAMOS A UNA FAMILIA DE VEZ EN CUANDO, PERO NO ARRASÁBAMOS UN BARRIO ENTERO.
¿SABE CUÁNTO DINERO HEMOS DEJADO DE GANAR CON EL TRÁFICO DE DROGA POR CULPA SUYA?

MUY POCO COMPARADO CON LAS PÉRDIDAS EN BIENES INMOBILIARIOS. PERO PROSIGA, SR. GLAZER.
CLARO QUE VOY A PROSEGUIR, GORDO. VOY A DECIR LO QUE TODO EL MUNDO PIENSA. QUE LA ESTÁS CAGANDO.
NOS HAS PUESTO A TODOS EN PELIGRO, NOS HAS COSTADO MILLONES, Y TODO PARA HACERLE LA VIDA IMPOSIBLE A UN CIEGO...
GLAZER... SERÁ MEJOR QUE SE CALME...

EL SR. GLAZER TIENE DERECHO A DAR SU OPINIÓN, SR. ORNSTEIN.
SIN EMBARGO, PERMÍTAME SEÑALAR QUE MURDOCK YA NO ES ABOGADO.

ESTÁS LOCO, KINGPIN. LO HAS ESTADO... DESDE QUE PERDISTE A TU ESPOSA...

...ESTO, EH... CREO QUE HE BEBIDO MÁS DE LA CUENTA... NO PRETENDÍA...
...O SEA, HE INVERTIDO MUCHO ESFUERZO DURANTE MUCHOS AÑOS EN... LA COCINA DEL INFIERNO, Y...

SÍ, SR. GLAZER.
LE ENTIENDO.
HHKKK'

GGG--KKRAKK

AHORA TODOS NOS ENTENDEMOS...
¿VERDAD, CABALLEROS?

"EL ALBA DESPUNTA GRACIAS A DIOS."
DISCULPE... PERDONE...

"FOGGY ERA MI SOCIO EN UNA VIDA ANTERIOR."
"ME ALEGRO DE QUE NO REPARE EN MÍ."
GLORI...
OH, GLORI...

PADRE NUESTRO QUE ESTÁS EN EL CIELO...
NO ME PUEDE DAR ALGO PARA EL...
ME SIGUE DOLIENDO MUCHO...
¿ES IRLANDESA? NO HE VUELTO A IRLANDA DESDE QUE ERA NIÑA.
OH, CIELO... TEMÍA TANTO POR TI...
CREO QUE TODOS ESTUVIMOS EN IRLANDA ANOCHE, HERMANA. O, AL MENOS, EN SU PARTE MALA.
NO ME MUEVA, DEME ALGO PARA EL DOLOR...
¡FOGGY! ¡HAS VENIDO!

NECESITAS DORMIR.
ESTOY BIEN, MAGGIE. DE VERAS.
CLARO QUE HE VENIDO, GLORI. ME ALEGRO TANTO DE QUE ESTÉS BIEN... PORQUE LO ESTÁS, ¿VERDAD?
LA BALA SALIÓ POR EL OTRO LADO, FOGGY. AUNQUE SE LLEVÓ UN TROZO DE MÍ CONSIGO.

NO ME PUEDO CREER QUE ESTO HAYA PASADO. LO PRIMERO QUE HAY QUE HACER ES LLEVARTE A UN HOSPITAL DE VERDAD.
AÚN NO ME PUEDEN MOVER. OYE, FOGGY, HE DE... HE DE PEDIRTE UN FAVOR...
DUERME UN POCO EN CUANTO PUEDAS, MATT.
LO HARÉ...

CLARO, GLORI, LO QUE QUIERAS...
NO ME GUSTA TENER QUE PEDIRTE ESTO, FOGGY, PERO... ¿PODRÍAS LLEVAR ESTE CARRETE AL DAILY BUGLE Y DÁRSELO A BEN URICH?
DEBE DE ESTAR SUBIÉNDOSE POR LAS PAREDES.
AQUÍ ESTÁS...

TE ESTÁS TOMANDO MUY EN SERIO ESTE TRABAJO. AUNQUE CREO QUE QUIZÁ...
NO VAYAS POR AHÍ, FOGGY, QUE AÚN NO HE PERDIDO NINGÚN ÓRGANO IRREEMPLAZABLE.
PERO LAS FOTOS QUE HE TOMADO SÍ LO SON...

YA, BUENO... LUEGO NOS VEMOS, TESORO...
CLARO. FOGGY. LUEGO TE LLAMO...
¿QUÉ PASA, MATT?
HE DE IRME PARA RESOLVER UN PROBLEMA, KAREN.

"PORQUE SI ES QUIEN CREO QUE ES... VA A SER UN PROBLEMA..."
LO SIENTO... DISCULPE...
"SÍ, NADIE RESPIRA DE ESE MODO..."
"ESTÁ AL FINAL DE LA CALLE...EN ESE CALLEJÓN..."
"NO... ESE ES SU OLOR... SE DESPLAZA... AUNQUE QUIÉN LO DIRÍA POR ESOS LATIDOS... TAN REGULARES..."
"ACABA DE PASAR JUNTO A MÍ... HA DERRIBADO UN CUBO DE BASURA... ES MÁS RÁPIDO QUE YO, PERO... "
"UN POCO DESCUIDADO..."

"...NO... LO HA HECHO ADREDE... ME LO ENCONTRARÉ AL DOBLAR ESA ESQUINA..."
"...SALTA... CON TANTA FACILIDAD... LA CRISTALERA CRUJE BAJO SU PESO... CIENTO CUARENTA KILOS COMO MÍNIMO..."
"SUS MÚSCULOS LO DISIMULAN... SON COMO BOMBAS HIDRÁULICAS PROPULSÁNDOLE..."

"...LO HA HECHO ADREDE... ME HA ESTADO SIGUIENDO... DESDE ANOCHE..."
DAREDEVIL... NO PRETENDO HACERTE DAÑO.
¿QUÉ QUIERES?

¿QUIÉN ERA ESE HOMBRE DE ANOCHE...?
ESO PREGÚNTASELO...
...A TUS JEFES.

NO SON MIS JEFES.
DICEN QUE ES UN TERRORISTA.
NO ES UN TERRORISTA NORMAL, SI ES QUE LO ES. ES MUY BUENO EN LO SUYO. ESTÁ MUY BIEN "DISEÑADO".

SU PIEL ESTÁ REFORZADA CON DIVERSAS CLASES DE PLÁSTICOS. ES MUY DURO, EL FUEGO APENAS LE AFECTA. ADEMÁS, SU ESQUELETO, SUS MÚSCULOS... SOLO SON HUMANOS EN PARTE.
¿TÚ QUÉ CREES QUE ES?

LLEVA LA BANDERA TATUADA.
NO ME FIJÉ EN ESO.

"NO SIGNIFICA NADA PARA ELLOS", PIENSA EL SOLDADO. "LA CONSIDERAN UN MERO TROZO DE TELA."
"A VECES ME SIENTO TAN IMPOTENTE."

Las fotografías de Glori han llegado justo A TIEMPO.
Misterioso asesino ataca La Cocina del Infierno
Decenas de muertos
JAMESON está tan contento que imprime la portada a TRES TINTAS.

Es un BUEN artículo.
Hace que la gente adecuada quede FATAL.
DAILY BUGLE

PUEDE CONTAR CON MI DEPARTAMENTO PARA LOGRAR QUE LA SITUACIÓN SE ESTABILICE, SR. FISK.
¿LOGRARÁ CONTENER LOS DAÑOS, GENERAL? ¿O TENDRÉ QUE TOMAR MIS PROPIAS MEDIDAS?
SEÑOR... NO PUEDE...

ESTO... NO PUEDE ENTRAR AHÍ, SEÑOR...
GENERAL... ¿QUIÉN ES ESTE HOMBRE?
CAPITÁN. CUÁNTO ME ALEGRO DE VERLO. ES TODO UN PLACER.
OH, SE REFIERE A ESA TONTERÍA. NO TIENE AUTORIZACIÓN PARA CONOCER ESA INFORMACIÓN. PERO LE ASEGURO QUE NO HAY DE QUÉ...
KLIK

...YA SABE CÓMO SON ESTAS COSAS...
...OJALÁ PUDIERA CONTÁRSELO, CAPITÁN. ENTONCES, SABRÍA QUE NO TIENE DE QUÉ... OJALÁ PUDIERA...
...YA SABE QUE EL DEPARTAMENTO LE TIENE EN MUY ALTA ESTIMA. SIEMPRE HEMOS APRECIADO SU COMPROMISO... Y SU LEALTAD...

SOLO SOY LEAL... AL SUEÑO, GENERAL.

NO ERA UN GRAN SITIO. SOLO UN RESTAURANTE DE MALA MUERTE EN UN BARRIO DE MALA MUERTE DE LA CIUDAD.
SOLO TREINTA AÑOS DE LA VIDA DE BERTHA Y OTTO SCHNAPP.
EL SEGURO HA ENCONTRADO UNA EXCUSA, QUE NI SIQUIERA HE PODIDO ENTENDER, PARA NO PAGAR LA INDEMNIZACIÓN.
PODRÍAS DEMANDARLOS, OTTO.

¿ALGUNA VEZ HAS IDO A JUICIO, RED?
MI ESPOSA Y YO NO SOMOS JÓVENES... Y TAMPOCO SOMOS RICOS. HEMOS SIDO HONRADOS, PERO BUENO... ESO NO CUENTA PARA NADA CUANDO ENTRAN EN ESCENA LOS ABOGADOS.
NO, SUPONGO QUE NO...

...AHORA AMBOS ESTAMOS SIN TRABAJO, MATT. TENEMOS QUE...
...ESTÁS TRAMANDO ALGO, ¿VERDAD?
ALGO PERVERSO.

¿A LA PLANTA BAJA, SEÑOR?
TODAVÍA NO.
AL SUBNIVEL SEIS. A LA BÓVEDA.

SEÑOR... NO TIENE PERMISO... NO PUEDO...
YA, CABO.
WHMPP

MUCHOS PISOS MÁS ARRIBA...
NO. DAME UNA ROJA. UNA ROJA.
LO SIENTO, HIJO. SOLO PODEMOS DARTE BLANCAS Y AZULES... POR AHORA. ES LO QUE HAY.

NO TE HAGAS UNA IDEA EQUIVOCADA, HIJO. NO TE ESTAMOS CASTIGANDO. NO HAS HECHO NADA MALO.
PERO LAS ROJAS TE VUELVEN UN POCO INCONTROLABLE. ADEMÁS, EL DEPARTAMENTO ESTÁ UN POCO ALTERADO, COMO PUEDES COMPROBAR... ASÍ QUE HASTA QUE NO PROCEDAMOS A TU TRASLADO...
ESTE ES MI PAÍS. QUIERO QUEDARME EN ÉL.
MP

SERVIRÁS MEJOR A TU PAÍS EN ULTRAMAR, HIJO. AHÍ ESTÁ EL ENEMIGO.
DAILY BUGLE
Misterioso asesino ataca La Cocina del Infierno
Decenas de muertos
NO. EL ENEMIGO ESTÁ AQUÍ. AQUÍ.

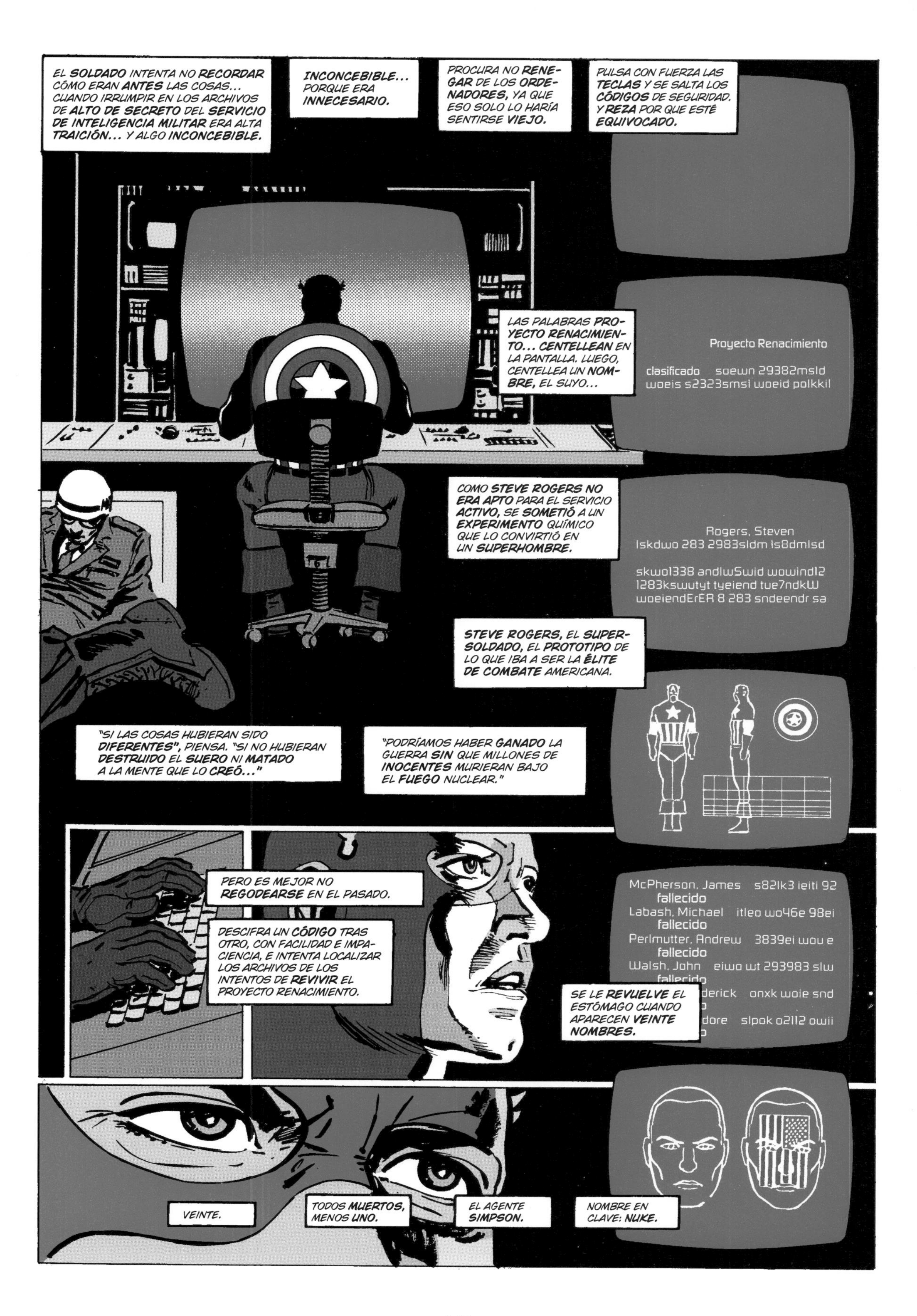

EL SOLDADO INTENTA NO RECORDAR CÓMO ERAN ANTES LAS COSAS... CUANDO IRRUMPIR EN LOS ARCHIVOS DE ALTO DE SECRETO DEL SERVICIO DE INTELIGENCIA MILITAR ERA ALTA TRAICIÓN... Y ALGO INCONCEBIBLE.
INCONCEBIBLE... PORQUE ERA INNECESARIO.
PROCURA NO RENEGAR DE LOS ORDENADORES, YA QUE ESO SOLO LO HARÍA SENTIRSE VIEJO.
PULSA CON FUERZA LAS TECLAS Y SE SALTA LOS CÓDIGOS DE SEGURIDAD. Y REZA POR QUE ESTÉ EQUIVOCADO.
LAS PALABRAS PROYECTO RENACIMIENTO... CENTELLEAN EN LA PANTALLA. LUEGO, CENTELLEA UN NOMBRE, EL SUYO...
Proyecto Renacimiento
clasificado soewn 29382msld
woeis s2323smsl woeid polkkil
COMO STEVE ROGERS NO ERA APTO PARA EL SERVICIO ACTIVO, SE SOMETIÓ A UN EXPERIMENTO QUÍMICO QUE LO CONVIRTIÓ EN UN SUPERHOMBRE.
Rogers, Steven
lskdwo 283 2983sldm ls8dmlsd
skwo1338 andlwSwid wowind12
1283kswutyt tyeiend tue7ndkW
woeiendErER 8 283 sndeendr sa
STEVE ROGERS, EL SUPERSOLDADO, EL PROTOTIPO DE LO QUE IBA A SER LA ÉLITE DE COMBATE AMERICANA.
"SI LAS COSAS HUBIERAN SIDO DIFERENTES", PIENSA. "SI NO HUBIERAN DESTRUIDO EL SUERO NI MATADO A LA MENTE QUE LO CREÓ..."
"PODRÍAMOS HABER GANADO LA GUERRA SIN QUE MILLONES DE INOCENTES MURIERAN BAJO EL FUEGO NUCLEAR."
PERO ES MEJOR NO REGODEARSE EN EL PASADO.
DESCIFRA UN CÓDIGO TRAS OTRO, CON FACILIDAD E IMPACIENCIA, E INTENTA LOCALIZAR LOS ARCHIVOS DE LOS INTENTOS DE REVIVIR EL PROYECTO RENACIMIENTO.
McPherson, James s821k3 ieiti 92
fallecido
Labash, Michael itleo wo46e 98ei
fallecido
Perlmutter, Andrew 3839ei wou e
fallecido
Walsh, John eiwo wt 293983 slw
SE LE REVUELVE EL ESTÓMAGO CUANDO APARECEN VEINTE NOMBRES.
VEINTE.
TODOS MUERTOS, MENOS UNO.
EL AGENTE SIMPSON.
NOMBRE EN CLAVE: NUKE.

ESTE... ESTE ES EL ENEMIGO...
MIENTEN SOBRE NOSOTROS... QUIEREN QUE NOS AVERGONCEMOS DE SER COMO SOMOS...
QUIETO...
TRANQUILO, HIJO...
SEÑOR... ESTÁ EN MEDIO...

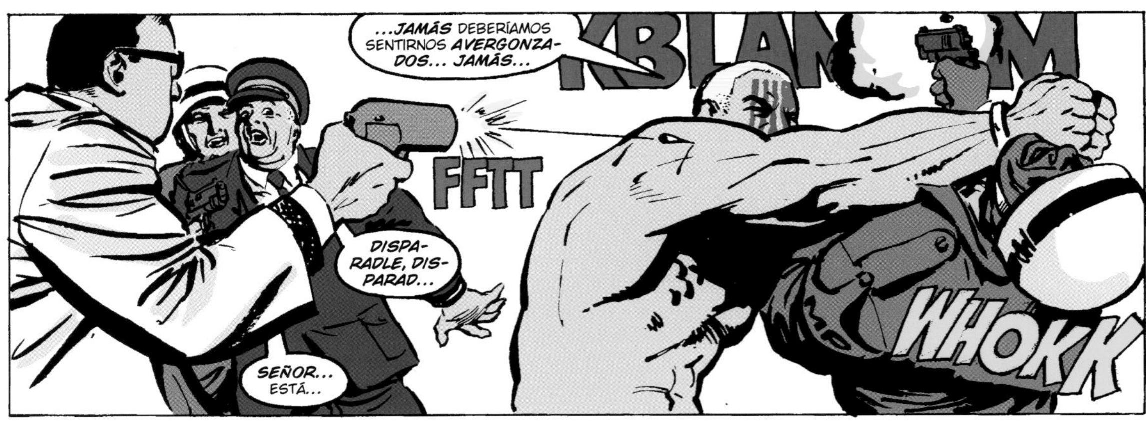
...JAMÁS DEBERÍAMOS SENTIRNOS AVERGONZADOS... JAMÁS...
KBLAM
FFTT
DISPARADLE, DISPARAD...
SEÑOR... ESTÁ...
WHOKK

KBLAM
BLAM
BLAMM

SKRAKK
AHORA, HIJO...

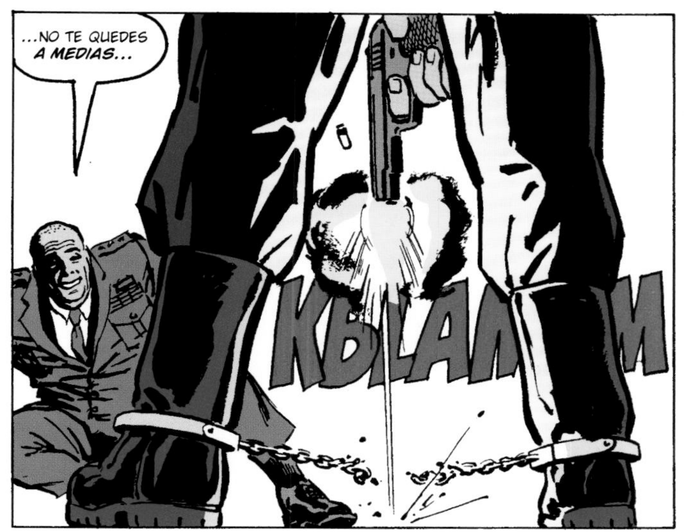
...NO TE QUEDES A MEDIAS...
KBLAMM

NO LE DECEPCIONARÉ, SEÑOR.

INTENTAN...

...QUE NUESTROS MUCHACHOS SE AVERGÜENCEN...

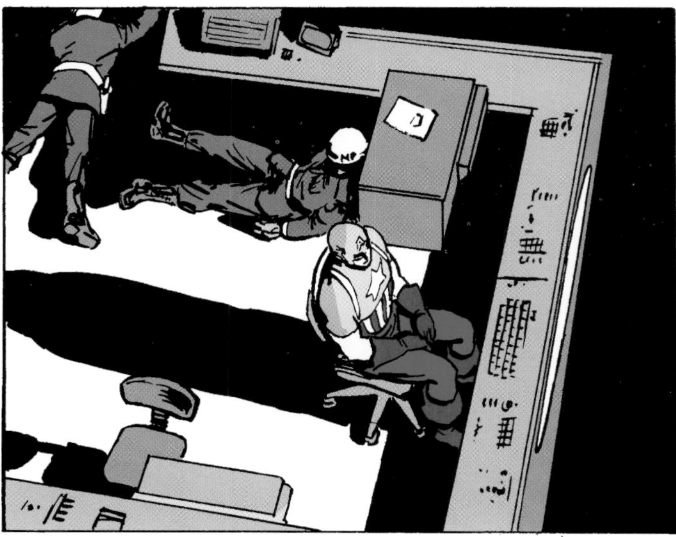

AROOGA
AROOGA

LA COCINA DEL INFIERNO.
...EL UNIFORME ME DA UNA VENTAJA PSICOLÓGICA SOBRE LOS CRIMINALES, KAREN...
...ADEMÁS DE LIBERTAD DE MOVIMIENTOS...
...ES CRUCIAL, DE VERAS...
YA, YA...

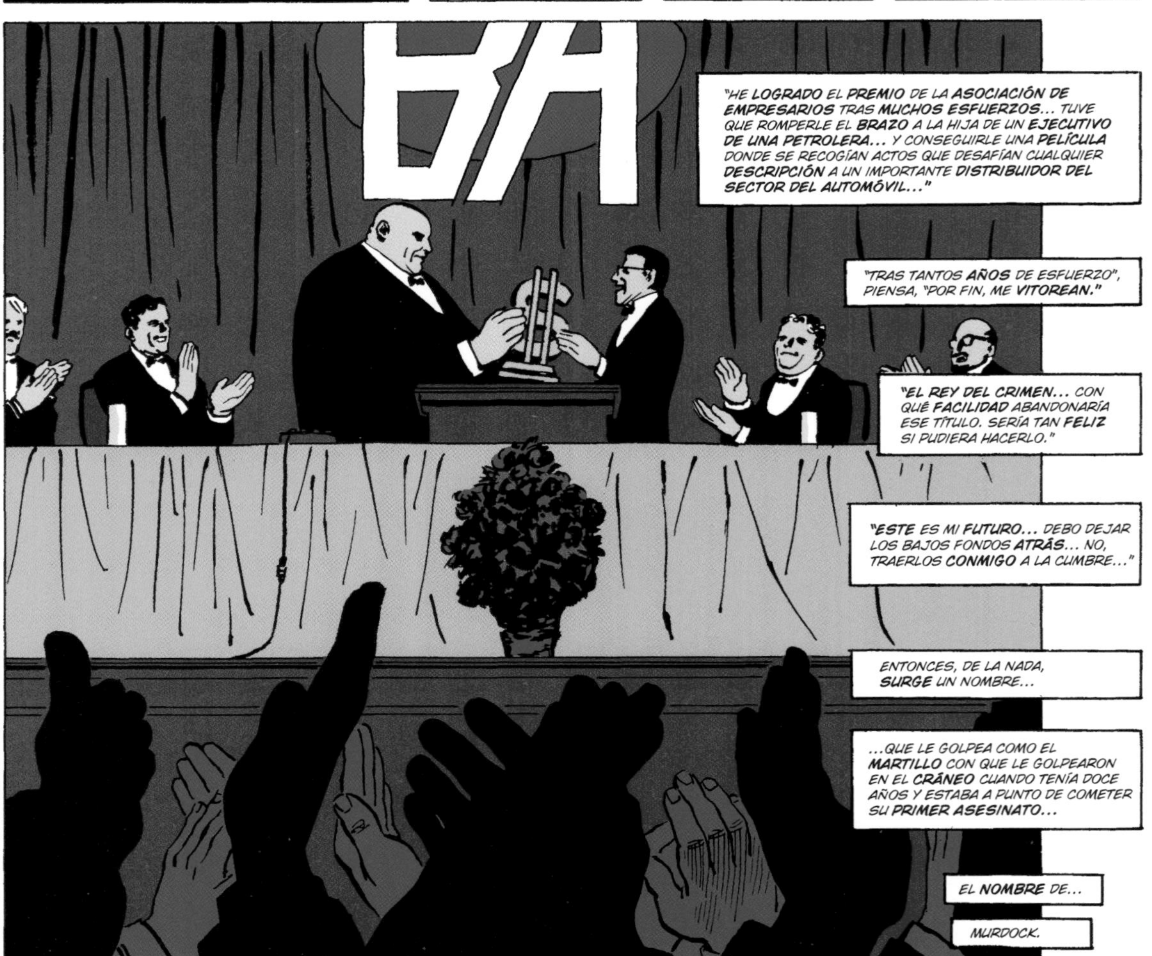

"HE LOGRADO EL PREMIO DE LA ASOCIACIÓN DE EMPRESARIOS TRAS MUCHOS ESFUERZOS... TUVE QUE ROMPERLE EL BRAZO A LA HIJA DE UN EJECUTIVO DE UNA PETROLERA... Y CONSEGUIRLE UNA PELÍCULA DONDE SE RECOGÍAN ACTOS QUE DESAFÍAN CUALQUIER DESCRIPCIÓN A UN IMPORTANTE DISTRIBUIDOR DEL SECTOR DEL AUTOMÓVIL..."
"TRAS TANTOS AÑOS DE ESFUERZO", PIENSA, "POR FIN, ME VITOREAN."
"EL REY DEL CRIMEN... CON QUÉ FACILIDAD ABANDONARÍA ESE TÍTULO. SERÍA TAN FELIZ SI PUDIERA HACERLO."
"ESTE ES MI FUTURO... DEBO DEJAR LOS BAJOS FONDOS ATRÁS... NO, TRAERLOS CONMIGO A LA CUMBRE..."
ENTONCES, DE LA NADA, SURGE UN NOMBRE...
...QUE LE GOLPEA COMO EL MARTILLO CON QUE LE GOLPEARON EN EL CRÁNEO CUANDO TENÍA DOCE AÑOS Y ESTABA A PUNTO DE COMETER SU PRIMER ASESINATO...
EL NOMBRE DE...
MURDOCK.

"SU NOMBRE ME VIENE A LA CABEZA CUANDO MENOS ME LO ESPERO. ME PERSIGUE, ME HOSTIGA Y SE BURLA DE MÍ..."
"PERO ES SOLO UN HOMBRE."
"Y HE DESTROZADO A TANTOS."

"ENTONCES... WESLEY ME COMENTA ALGO SOBRE NUKE..."

KBLAMM
KBLAMM

KBLAMM
KBLAM
KPWING
KPWING

KPWING

WHUKK

"ESTOS TREINTA MIL DÓLARES, QUE ESTOS ESTAFADORES HABÍAN GANADO AL APROVECHARSE DE MUCHOS JUGADORES COMPULSIVOS..."
"IBAN A PASAR A FORMAR PARTE DE LA VERTIENTE TÉCNICAMENTE LEGAL DEL IMPERIO FINANCIERO DE KINGPIN."
RINGG
"TREINTA MIL DÓLARES CON LOS QUE SE PODRÁ RECONSTRUIR UN RESTAURANTE..."

...NUESTRO CONTACTO EN EL EJÉRCITO NOS HA INFORMADO DE QUE NUKE SE HA FUGADO. VA DIRECTO AL DAILY BUGLE.
ENVIAD PARA ALLÁ A ROARK Y QUE VAYA CON UNA RADIO. CUANDO ESTÉ EN POSICIÓN, QUE AGUARDE A RECIBIR LA ORDEN DE MATAR...

EL SOLDADO RECUERDA UNA ÉPOCA ANTERIOR A ACABAR APRISIONADO EN EL HIELO.
RECUERDA LAS SONRISAS, Y QUE EN ESA ÉPOCA... EN SU ÉPOCA... LA ESPERANZA REINABA.
RECUERDA LA GUERRA...

"ESOS QUE ESTÁN A TRES MANZANAS, TIENEN QUE SER ELLOS."

EL SOLDADO PIENSA EN AEROPLANOS ANTIGUOS. Y LUEGO EN HELICÓPTEROS...
EL RUIDO... PROVIENE DE HELICÓPTEROS DEL EJÉRCITO... QUE PLANEAN SOBRE EL TEJADO...
CAPITÁN...

...DÉJEME AQUÍ, CAPITÁN. YO DEFENDERÉ LA POSICIÓN...
EN PIE, SARGENTO.
GRACIAS A LOS AVIONES, LA GUERRA PARECÍA ALGO MUCHO MÁS PULCRO.
A PESAR DE QUE LANZABAN BOMBAS QUE QUEMABAN LA CARNE Y DESTRUÍAN LO QUE HABÍA COSTADO GENERACIONES ERIGIR...

"ESOS HELICÓPTEROS SE ACERCAN..."
"Y NO ME GUSTA LA CONVERSACIÓN QUE MANTIENEN ENTRE ELLOS..."
...ESPEREN A QUE SALGAN... MANTÉNGANSE CERCA...

...LOS AVIONES NO SE ACERCABAN TANTO COMO LOS HELICÓPTEROS. NO ESCOGÍAN A SUS VÍCTIMAS COMO UNOS INSECTOS GIGANTESCOS SURGIDOS DE UNA PELÍCULA DE TERROR...
"...NO SEAS CARCAMAL", PIENSA EL SOLDADO." "NO TE VUELVAS LOCO."
"SON DE LOS NUESTROS."

MANTÉNGANSE CERCA... A MI ORDEN...

DISPAREN...
BRAKABRAKABK

BRAKABRAKABRAKABRAKA
SPAK SPAK SPAK SPAK SPAK

CESEN EL FUEGO... EL GENERAL ORDENA QUE DESCIENDAN...
LE HEMOS DADO...

SE HA IDO DEL TEJADO... POR AHÍ...

SEÑOR... NO PODEMOS DEJAR QUE... NFF...
PUEDE INTENTARLO, TENIENTE.

¡AVISEN A LA POLICÍA!
¡UN LUNÁTICO ME HA ROBADO EL TAXI!
SKREE

ESTÁ EN ROJO...
SKREECHH
HONKK
¿ES QUE NO VES? ¿ESTÁS CIEGO?

"MI SENTIDO RADAR NO ME SIRVE DE NADA YA QUE APENAS ATRAVIESA EL PARABRISAS Y LA LLUVIA LO CONFUNDE AÚN MÁS..."
SKREEE
"...HAY DEMASIADAS INTERFERENCIAS... NO PUEDO..."
HONK

"EN MEDIO DEL CAOS, CAPTO SU LATIDO. LAS COSAS NO PINTAN NADA BIEN PARA ÉL."
SKRUMPP
TARADO...

¿ESTADO DE... LA MISIÓN?

VUELVE A CASA, SARGENTO.
"SIEMPRE QUE LOGRE LLEVARLO AL HOSPITAL..."

PERO SI PROMETIÓ... PROMETIÓ QUE NUNCA LO HARÍA...

"NO. AL HOSPITAL YA NO."

"AHORA SOLO PUEDO LLEVARLO A UN SITIO..."
"...AHORA SU MUERTE SOLO PUEDE TENER UN SENTIDO..."
SKREEEEEE

ARRIBA...
SE DIRIGE AL ESTE...
SÍGALO, CABO...

EXAMINE ESE TEJADO CON LOS SENSORES DE CALOR.
SÍ, SEÑOR.
DETECTO ALGO, SEÑOR. ¿CÓMO PODÍA SABER...?

DAREDEVIL SE HA LLEVADO A NUKE EN UN TAXI QUE HA ROBADO. CONDUCE HACIA EL OESTE...
...NO, VA HACIA EL ESTE, POR LA VEINTITRÉS.
AL ESTE... SE DIRIGE AL DAILY BUGLE. POR TANTO, HEMOS DE DAR POR SENTADO QUE NUKE HA DERROTADO A DAREDEVIL... Y SIGUE CON SU PLAN ORIGINAL.
PONME EN CONTACTO CON NUESTRO EQUIPO DEL TEJADO DEL BUGLE.

WINCH, RESPONDE, WINCH...

...STEINER, INFORME.
STEINER... ¿ME RECIBE?

LAS SEMANAS SIGUIENTES SON UNA PESADILLA PARA EL REY DEL CRIMEN.
UNO DE LOS ASESINOS QUE ESTABAN APOSTADOS EN EL TEJADO DEL DAILY BUGLE SEÑALA AL SEÑOR DEL CRIMEN COMO EL RESPONSABLE DEL ATAQUE DE NUKE A LA COCINA DEL INFIERNO.
ENTONCES, LAS ACUSACIONES LLEGAN POR TODAS PARTES...
DAILY BUGLE
SUPERASESINO DEL EJÉRCITO
KINGPIN IMPLICADO EN LA MATANZA DE LA COCINA DEL INFIERNO

...LAS PLANTEAN ASOCIACIONES TAN DIVERSAS COMO AGRUPACIONES CIUDADANAS O SUBCOMITÉS DEL SENADO... Y SE VEN APOYADAS POR LOS TESTIMONIOS DE EX EMPLEADOS RESENTIDOS, SICARIOS Y MATONES.
...QUE HABLAN CON MÁS RAPIDEZ DE LO QUE KINGPIN PUEDE ORDENAR MATARLOS...
...LOS SEMBLANTES DE SUS LUGARTENIENTES ADOPTAN UNA EXPRESIÓN HOSCA Y HOSTIL. SUS ORDENES SON OBEDECIDAS, PERO CON DEMASIADA LENTITUD...

POCAS DE ESAS ACUSACIONES PROSPERAN. Y LAS QUE SIGUEN ADELANTE, QUEDAN ENREDADAS HÁBILMENTE EN UNA MARAÑA DE LITIGIOS DURANTE AÑOS.
AUN ASÍ, A OJOS DE TODO EL MUNDO, SALVO QUIZÁ LA LEY... ES EL VILLANO.
LOS MISMOS EMPRESARIOS QUE RECIENTEMENTE LO VITOREABAN, LO RECHAZAN... E INCLUSO LO CONDENAN.
"LA LEY."

"...AL MENOS, MURDOCK YA NO ES ABOGADO."
"...YA NO", PIENSA.
Y PLANEA.

"ME LLAMO MATT MURDOCK."
"Y SI BIEN LA RADIACIÓN ME DEJÓ CIEGO, EL RESTO DE MIS SENTIDOS POSEEN UNA AGUDEZA SOBREHUMANA."
"VIVO ENLA COCINA DEL INFIERNO E INTENTO MANTENER LIMPIO ESTE LUGAR DE ESCORIA CRIMINAL."
"ESO ES TODO LO QUE HAY QUE SABER SOBRE MÍ."
RICHMOND CONSTRUCTION
MAZZUCCHELLI

Antes de la saga "Born again", que acabáis de leer, Frank Miller y David Mazzucchelli colaboraron en este número de Daredevil. Os lo ofrecemos para que podais disfrutar en un solo tomo de todos los comics del personaje en que colaboraron ambos autores.

Daredevil # 226
Ilustración de cubierta: David Mazzucchelli.

SE SUPONÍA QUE NO IBA A HABER NADIE AQUÍ, PIENSA MELVIN POTTER, EN MEDIO DE LA CONFUSIÓN QUE REINA EN SU MENTE. YA CASI NI SABE DÓNDE ESTÁ NI QUÉ ESTÁ HACIENDO...
LE PROMETIERON QUE NO HABRÍA NADIE... LE PROMETIERON...
...PROCURA NO ESCUCHAR EL CRUJIDO ESCALOFRIANTE DE LA MANDÍBULA DEL VIGILANTE...
...INTENTA NO PREGUNTARSE EL POR QUÉ DEL NUDO QUE ATENAZA SU GARGANTA, O POR QUÉ APENAS PUEDE VER A TRAVÉS LAS LÁGRIMAS QUE ANEGAN SUS OJOS...
...SE ABALANZAN SOBRE EL TAN RÁPIDO QUE YA NO HAY VUELTA ATRÁS... LO ACABAN DE CONVERTIR EN UN LADRÓN DE JOYAS...
ES CULPA DE ELLOS...
STAN LEE PRESENTA:
GUERREROS

SABE QUE VUELVE A DOMINARLO LA CONFUSIÓN, PERO PIENSA EN... EN BETSY... Y ESO NO LE AYUDA COMO DEBERÍA, SINO QUE LO EMPEORA TODO...
KWUNGG
...ESTE DISFRAZ... DA MUCHO CALOR... POR ESO SE SIENTE TAN MAL...
...POR ESO GOLPEA AL OTRO VIGILANTE COMO SI...
"...NO PIENSES EN ELLO..."

...ESTE DISFRAZ... DEBERÍA LLEVARLO A LA TIENDA Y ARREGLARLO... ES UN MAL PRODUCTO... Y ESO NO TIENE PERDÓN DE DIOS...
...DA MUCHO CALOR... NECESITA AIRE... COGE LA JO...
"...NO PIENSES EN ELLO..."

HOY HACE FRÍO, UN FRÍO TREMENDO QUE LE RECUERDA A BELFAST, PERO GLORIANNA O'BREEN SABE QUE NO TIENE LA CARA ROJA POR CULPA DE ESO SINO POR EL CABREO QUE SIENTE.
SE ENDEREZA Y CRUZA LA CALLE COMO SI ESTA FUERA DE SU PROPIEDAD. LO TIENE TODO DECIDIDO, ESTÁ PREPARADA PARA ECHARLE UNA BUENA BRONCA A MATTHEW MURDOCK.

PERO NO ESTÁ PREPARADA PARA ENCONTRARSE CON LA AMARGURA QUE REINA EN EL DESPACHO DE ABOGADOS DE NELSON Y MURDOCK...
...DONDE EL AMBIENTE ES DE TRISTEZA Y DE QUE UNA ETAPA SE ACABA.
FOGGY... ¿QUÉ PASA AQUÍ?

GLORI... HOLA... EH...
CARAY... TE VEO... ¡HUY!

HUM... SUPONGO QUE SE PUEDE DECIR QUE NOS HAS PILLADO CERRANDO EL CHIRINGUITO...
¿CÓMO...? O SEA, ¿VAIS A CERRAR EL DESPACHO? OH, FOGGY, SABÍA QUE TENÍAIS PROBLEMAS, PERO...
OH, FOGGY... ¿QUÉ VAS A HACER AHORA?
JO, GLORI... YO SOY COMO LOS GATOS... ¡SIEMPRE CAIGO DE PIE!
¿BUSCAS A MATT?
NO ME DIGAS QUE HOY... PRECISAMENTE HOY... NO ESTÁ AQUÍ...
FOGGY... ESCUCHA LA RADIO...

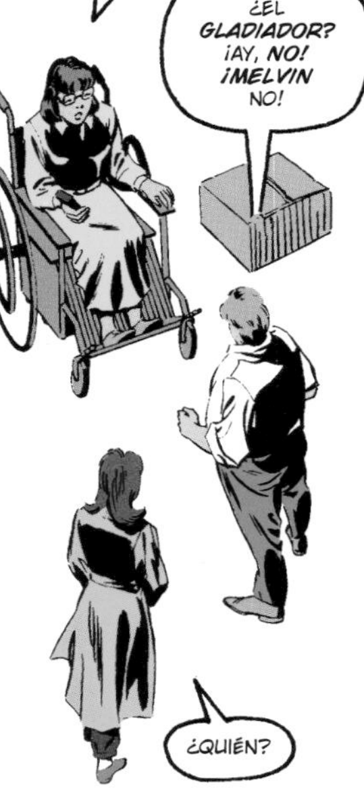

OH. HOLA, GLORI. ¡FOGGY, ESTABAN DICIENDO QUE EL GLADIADOR ACABA DE ATRACAR OTRA JOYERÍA! ¿NO CREERÁS QUE...?
¿EL GLADIADOR? ¡AY, NO! ¡MELVIN NO!
¿QUIÉN?

MELVIN... MELVIN POTTER. ERA CLIENTE NUESTRO. ¡PERO NO HA PODIDO SER ÉL! ¡SE HA REFORMADO!
ESTABA ENFERMO, NADA MÁS. LO CURARON... ENTRE MATT Y ESA TRABAJADORA SOCIAL. A MATT SE LE PARTIRÁ EL CORAZÓN SI...
NO. SE CURÓ Y NO HAY MÁS QUE HABLAR.

ADEMÁS, A TODO EL MUNDO HAY QUE DARLE UN MARGEN DE CONFIANZA. ¡SEGURO QUE TODO ES UN MONTAJE!
DISCULPA QUE ME PONGA ASÍ, GLORI... PERO COMO TODO HA IDO TAN MAL ÚLTIMAMENTE, SALTO ENSEGUIDA, ¿SABES?
YA, CLARO.
FOGGY, SI ME DICES QUE ESTE NO ES EL MOMENTO MÁS ADECUADO, LO ENTENDERÉ PERFECTAMENTE...

...PERO ME GUSTARÍA CENAR CONTIGO PARA PODER HABLAR...
...SOBRE TU SOCIO... SOBRE SI SE HA VUELTO LOCO O NO.

ESTABA CORRIENDO DE TEJADO EN TEJADO CUANDO SE DIO CUENTA.
PENSABA QUE CON AQUELLOS BRINCOS ESTABA REALIZANDO UNA COREOGRAFÍA MUY HERMOSA... Y SÍ, NO LE IMPORTABA ALARDEAR DE ELLO, AUNQUE SOLO FUERA ANTE SÍ MISMO. "SE ME DA ESTO MUY BIEN", PENSÓ. "ESTOY EN UNA FORMA TREMENDA PARA MI EDAD..."
ESE PENSAMIENTO FUE EL QUE LE HIZO DETENERSE EN SECO. EL QUE ATRAVESÓ LA GRIS NEBLINA DE LA CONFUSIÓN QUE NUBLABA SU JUICIO.
"PARA MI EDAD", PIENSA MATT MURDOCK. "PARA MI EDAD."
"SI AÚN NO TENGO 30 AÑOS."
"¿CUÁNTO TIEMPO HACE QUE SOY DAREDEVIL? ¿CUÁNTO TIEMPO HA PASADO DESDE QUE EL MUNDO ME TIRÓ ESE ISÓTOPO A LA CARA, Y ME DEJÓ CIEGO?"
"SÍ, CLARO, MIS OTROS SENTIDOS SE AGUDIZARON... Y NO HAY NADIE EN EL MUNDO QUE TENGA UN OLFATO O UN OÍDO COMO EL MÍO... PERO ME QUEDÉ CIEGO, Y ESA NO FUE LA ÚLTIMA DESGRACIA QUE SUFRÍ..."

"DESDE ENTONCES, MI VIDA HA SIDO UNA SUCESIÓN DE DESASTRES, DE LOS QUE TODOS ME HAN RESPONSABILIZADO. TODO LOS QUE HE QUERIDO O EN QUIEN HE CONFIADO."
"FOGGY... MI SOCIO... NO HA PODIDO TIRAR DEL CARRO CUANDO YO HE FALLADO Y NO HA LOGRADO MANTENER EL DESPACHO A FLOTE, Y HEATHER..."
"...SÍ, HEATHER... ¿POR QUÉ ME ASUSTA EL MERO HECHO DE PENSAR EN SU NOMBRE? SE HA SUICIDADO... ES LO QUE ME FALTABA, COMO SI NO TUVIERA YA BASTANTES PROBLEMAS..."
"...PERO EN ESO SE HA CONVERTIDO MI VIDA; EN UN PROBLEMA TRAS OTRO QUE HAY QUE ENCARAR."
SIENTE EL FRÍO DEL VIENTO DE OCTUBRE, Y ESCUCHA EL PULSO APAGADO DE LA CIUDAD DE NUEVA YORK A SUS PIES. SE PREGUNTA CUÁNDO ESTA CIUDAD EMPEZÓ A REPUGNARLE.
ESTA CIUDAD QUE NO DA MÁS QUE PROBLEMAS.

EN ESTE INSTANTE, UN RECUERDO ACUDE A SU MEMORIA... ALGO QUE UNA VEZ LE DIJO SU MENTOR.
...TIENES DOS CARAS, NECIO... UNA QUE ESTUDIA Y LEE, Y OTRA QUE ENTRENA... Y LUCHA.
EL PROBLEMA ESTRIBA EN QUE... ¡NINGUNA DE ESAS CARAS ES TU VERDADERO ROSTRO!

HACES LO QUE TU PADRE TE DECÍA QUE HICIERAS... O LO QUE YO TE DIGO QUE HAGAS. INCLUSO LAS MUJERES A LAS QUE TE PEGAS COMO UNA LAPA... DEPENDE DE ELLAS QUE LA COSA FUNCIONE O NO. TÚ... TÚ SOLO OBEDECES.
DEJA DE APRETAR ASÍ LOS DIENTES. ALGÚN DÍA TE HARÁN FALTA.

SIEMPRE DEPENDES DEMASIADO DE LOS DEMÁS. DE ESE MODO, TODO ES SIEMPRE CULPA DE LOS ELLOS. ASÍ NUNCA VAS A PODER DESARROLLAR TODO TU POTENCIAL...
PORQUE INTUYES PERFECTAMENTE QUE SI LLEGARAS A SER QUIEN PUEDES SER, NO TENDRÍAS A NADIE A QUIEN RESPONSABILIZAR DE TUS ACTOS.
"NUNCA SUPISTE QUÉ ES LA CONDESCENDENCIA, ¿VERDAD, STICK? NUNCA ME DISTE NI UN RESPIRO..."

EL AULLIDO DE UNA SIRENA Y EL CHILLIDO DE UN NEUMÁTICO IMPIDEN QUE CONTESTE A UN HOMBRE MUERTO HACE MUCHO...
EEEEEEEE
...AL INSTANTE, HACIENDO GALA DE UNA HABILIDAD QUE SE HA CONVERTIDO CON EL PASO DEL TIEMPO EN UN ACTO REFLEJO, CONCENTRA SU OÍDO SUPERHUMANO...

...EN EL MOTOR DE SEIS CILINDROS QUE RUGE A SUS PIES... Y EN LA VOZ ESTRIDENTE QUE SALE DE LA RADIO DEL COCHE PATRULLA...
EEEEEEE
POLICE
...A TODAS LAS UNIDADES... DETENGAN A MELVIN POTTER... VA ARMADO Y ES PELIGROSO...

"TU TAMBIÉN NO, MELVIN."
"LO PROMETISTE."
"DI LA CARA POR TI..."

"...COMO ME HAYAS TRAICIONADO COMO TODOS LOS DEMÁS..."

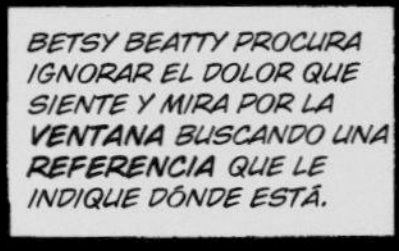

Y AL PODER VER EL EDIFICIO CHRYSLER... BETSY SABE AL FIN DÓNDE ESTÁ.

LA HABITACIÓN HUELE A RAYOS Y YA HA VISTO TRES CUCARACHAS Y UNA CHINCHE DEL TAMAÑO DE UNA NUEZ.
NO OBSTANTE, MELVIN POTTER SE SIENTE AQUÍ A SALVO... A SALVO DE DAREDEVIL Y LA POLICÍA; ADEMÁS, ES EL LUGAR AL QUE LOS SECUESTRADORES LE DIJERON QUE DEBÍA IR. POR ESO, SE QUEDARÁ AQUÍ, JUSTO AQUÍ, HASTA MEDIANOCHE CUANDO...
...NO TIENE POR QUÉ PENSAR EN ELLO. YA ESTÁ TODO PLANEADO...
...LAS DUCHAS SON MEJORES QUE LOS BAÑOS, PORQUE EL AGUA TE GOLPEA CON MÁS FUERZA. SOBRE TODO, CUANDO TE DAS UNA DUCHA TAN FRÍA COMO ESTA. ADEMÁS, CUANDO TIEMBLAS PUEDES PENSAR QUE ES POR CULPA DEL FRÍO Y ASÍ YA NO TIENES QUE SEGUIR PREOCUPÁNDOTE DE NADA. INCLUSO PUEDES HABLAR CONTIGO MISMO SIN QUE NADIE SE ENTERE, Y ASÍ PUEDES OLVIDARTE DE QUE ESTÁS HABLANDO Y DE LO QUE ESTÁS DICIENDO...
...ASÍ PUEDES OLVIDAR. SOLO TIENES FRÍO, Y NO TE SIENTES COMO UN MONSTRUO DE ESOS QUE SALEN EN LAS PELÍCULAS. NO, SOLO TIENES FRÍO Y POR ESO TIEMBLAS.
POPEYE
CHICK
LLEVA CUATRO HORAS EN LA DUCHA. NO ES ALGO MUY NORMAL PERO COMO TAMPOCO HACE DAÑO A NADIE... ADEMÁS, ASÍ TE QUEDAS EN LA HABITACIÓN Y NO TIENES NADA EN QUE PENSAR...
...QUÉ BUENA ESTÁ EL AGUA FRÍA...

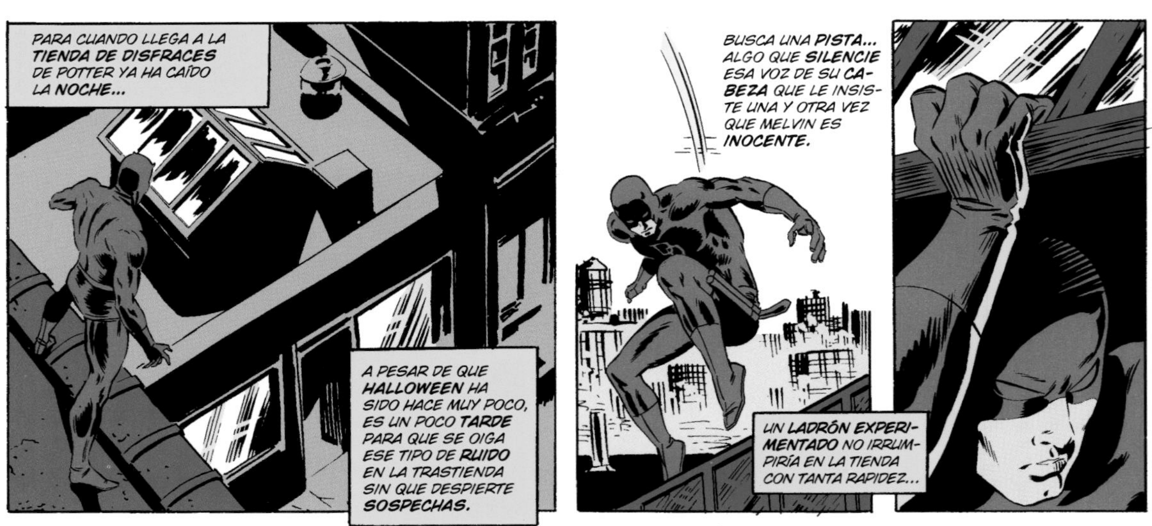
PARA CUANDO LLEGA A LA TIENDA DE DISFRACES DE POTTER YA HA CAÍDO LA NOCHE...
A PESAR DE QUE HALLOWEEN HA SIDO HACE MUY POCO, ES UN POCO TARDE PARA QUE SE OIGA ESE TIPO DE RUIDO EN LA TRASTIENDA SIN QUE DESPIERTE SOSPECHAS.
BUSCA UNA PISTA... ALGO QUE SILENCIE ESA VOZ DE SU CABEZA QUE LE INSISTE UNA Y OTRA VEZ QUE MELVIN ES INOCENTE.
UN LADRÓN EXPERIMENTADO NO IRRUMPIRÍA EN LA TIENDA CON TANTA RAPIDEZ...

...Y UN SABUESO TAMPOCO PODRÍA IDENTIFICAR A ESOS HOMBRES POR SU OLOR CON TANTA RAPIDEZ.
LOS CONOCE A TODOS, Y SABE QUE NO SON AMIGOS DE MELVIN.
PERO LE VALEN.

CHOK
CHAKK
SÍ, LE VALEN.

WHUMPP

¡DAREDEVIL!
AY, DIOS... OH, NO...

AAA... AAAA...

AY, NO...
QUE SOY COJO, TÍO. LO JURO.

TU COJERA VA A IR A PEOR... A MENOS QUE ME CUENTES QUÉ TRAMA POTTER, CHIGGER.
CANTA, CHIGGER.

¿QUE CANTE QUÉ? "¿LA BAMBA?"
YA ME CONOCES, DIABLO... SOY UN SIMPLE CHORIZO, Y ME HAS DETENIDO COMETIENDO UN ROBO. ¿QUÉ MÁS HAY QUE CONTAR?

POTTER HA TENIDO MUCHA SUERTE. ACABO DE IMPEDIR QUE LE ROBEN TODO EL DINERO QUE GANÓ EN HALLOWEEN.
NO PUEDO PASARME LA NOCHE BUSCANDO A MELVIN. TENGO MIS PROPIOS PROBLEMAS. POR EJEMPLO: HE DE VACIAR EL ESCRITORIO DE MI DESPACHO ANTES QUE EL CASERO SELLE LA PUERTA CON TABLONES DE MADERA PARA IMPEDIRME LA ENTRADA.
AUNQUE ESO TAMPOCO ME DETENDRÍA.

ENTRETANTO, EN ALGÚN LUGAR AL NORTE DE LA CALLE 86...
APRECIO MUCHO QUE HAYAS QUERIDO CENAR CONMIGO, FOGGY. CON TODOS LOS LÍOS QUE TIENES, NO ME PARECE JUSTO USARTE COMO PAÑO DE LÁGRIMAS...
COFFEE
COFFEE
NOS HA TOCADO VIVIR UNOS TIEMPOS BASTANTE DISPARATADOS, ¿EH, GLORI? PERO SERÍA YO QUIEN COMETIERA UN DISPARATE SI DEJARA PASAR LA OPORTUNIDAD DE CENAR CON UNA CHICA TAN GUAPA COMO TÚ.

ESTO... NO ME MALINTERPRETES...
ME HALAGAS, FOGGY. NO ME IMPORTA LO MÁS MÍNIMO.
QUÉ VA.
COFFEE

MATT... MATT Y YO SOLÍAMOS COMER AQUÍ CASI SIEMPRE CUANDO ÍBAMOS A LA UNIVERSIDAD... ANTES DE EJERCER Y DE TENER DINERO Y TODO ESO. JO, QUÉ TIEMPOS AQUELLOS, YA TE DIGO.
Y ESTA... ESTA ES LA MEJOR HAMBURGUESA QUE VAS A PROBAR EN TU VIDA.
TÚ Y MATT... OS CONOCÉIS DESDE HACE MUCHO, ¿VERDAD?

NOS CONOCIMOS EN LA UNIVERSIDAD DE COLUMBIA, QUE ESTÁ EN ESTA MISMA CALLE. COMPARTIMOS HABITACIÓN DURANTE NUESTROS ESTUDIOS DE POSTGRADO. MATT ERA EL GENIO, SIN DUDA ALGUNA. CON SOLO DARLE CUATRO PALABRAS, ERA CAPAZ DE ELABORAR UN DISCURSO QUE LOGRARÍA QUE EL MISMÍSIMO JEFFERSON SE ALZARA DE SU TUMBA DISPUESTO A ESCUCHARLO CON SUMA ATENCIÓN.
JEFFERSON FUE UN PRESIDENTE AMERICANO QUE REDACTÓ...
EN IRLANDA TAMBIÉN HEMOS OÍDO HABLAR DE JEFFERSON.

SUPONGO QUE SÍ, AHORA QUE LO PIENSO. DE TODOS MODOS, HABÍA UNA COSA QUE A MATT NO SE LE DABA BIEN: NO SE FIJABA EN LOS DETALLES. NUNCA HA TENIDO PACIENCIA. AHÍ ES DONDE ENTRABA YO, FOGGY "EL MEMORIOSO".
SIEMPRE HE DICHO QUE MATT ERA LA INSPIRACIÓN, Y YO LA "TRANSPIRACIÓN"...

TE HA DECEPCIONADO MUCHO, ¿VERDAD?
...TIENE MUCHAS COSAS EN LA CABEZA, GLORI. NO HAGAS CASO A LAS COSAS QUE HE PODIDO DECIR ÚLTIMAMENTE. ME HE SENTIDO SUPERADO POR TODO LO QUE HA PASADO. YA VEÍA VENIR TODO ESTO CUANDO... O SEA, MATT NO HA SIDO EL MISMO DESDE QUE...

¿DESDE CUÁNDO, FOGGY? DÍMELO, POR FAVOR.
OH, GLORI, NO PUEDO. SI TE LO DIGO, TE TENDRÍA QUE CONTAR COSAS SOBRE MATT QUE SE SUPONE QUE NI SIQUIERA YO DEBERÍA SABER. YA TE LO CONTARÁ ÉL TODO A SU DEBIDO TIEMPO, SEGURO QUE SÍ...

PUES CONMIGO SE LE ESTÁ AGOTANDO EL TIEMPO, FOGGY.

NO DIGAS ESO, GLORI. ES QUE... MATT... BUENO, PERDIÓ A ALGUIEN, Y DESDE ENTONCES...
¿TE REFIERES A HEATHER GLENN? PERO SI PARECÍA COMPADECERSE MÁS DE SÍ MISMO QUE DE ELLA.

NO... NO ME REFERÍA A HEATHER...
BUENO, SERÁ MEJOR QUE TE LO CUENTE, FOGGY... VOY A CORTAR CON MATT.
ESTOY HARTA DE TANTA DISCUSIÓN Y TANTA BRONCA... DE QUE NUNCA ME DIGA DÓNDE ESTÁ... DE QUE DESAPAREZCA DURANTE DÍAS, Y LUEGO QUIERA QUE LO ESTÉ ESPERANDO...

BUENO, MATT... ES UN TIPO MUY ESPECIAL, GLORI...
¡Y BIEN QUE LO SABE! ¡POR ESO NUNCA VA A FUNCIONAR LO NUESTRO!
¿SABES LO QUE HIZO EL OTRO DÍA? ME DIJO QUE HABÍA RECUPERADO LA VISTA. ASÍ COMO ASÍ. EVIDENTEMENTE, DEJÉ TODO LO QUE ESTABA HACIENDO Y SALÍ CORRIENDO... Y NO TENÍA POCAS COSAS QUE HACER PRECISAMENTE...

AUNQUE HE DE RECONOCER QUE PASAMOS UN DÍA MARAVILLOSO; VIMOS LAS VISTAS TÍPICAS DE LA CIUDAD, NOS REÍMOS Y NOS COMPORTAMOS COMO NIÑOS. Y NO SE PUEDE NEGAR QUE ESE DÍA ERA CAPAZ DE VER.
¿Y QUÉ CREES QUE HIZO MATT MURDOCK A CONTINUACIÓN? BUENO, ESTÁBAMOS EN EL EMPIRE STATE Y LA VERDAD ES QUE SE COMPORTABA CON TANTA TERNURA QUE LLEGUÉ A ESPERAR QUE ME FUERA A PEDIR QUE ME CASARA CON ÉL DE UN MOMENTO A OTRO...
...LA CUENTA, POR FAVOR...

...Y, DE REPENTE, CAMBIÓ RADICALMENTE DE ACTITUD Y SE LARGÓ SIN NI SIQUIERA DESPEDIRSE. ME PASÉ LOS DOS DÍAS SIGUIENTES ESPERÁNDOLO TODA PREOCUPADA, AL BORDE DE UN ATAQUE DE NERVIOS...
BUENO, COMO TE DECÍA ANTES... MATT ES UN TIPO MUY ESPECIAL. ASÍ QUE SUPONGO QUE HAY QUE SER UNA MUJER MUY ESPECIAL PARA...

HAY QUE SER UNA SANTA, FOGGY. PERO YO NO LO SOY.
...OH, FOGGY. TIENES TANTOS PROBLEMAS, Y AQUÍ ESTOY DÁNDOTE LA BRASA CON LOS MÍOS COMO SI FUERA UNA NIÑA PEQUEÑA...

ME ENCANTAN LOS NIÑOS, GLORI.
VAMOS... SALGAMOS A TOMAR EL AIRE.

SPAKK
"NO HA SELLADO LA PUERTA CON UNOS TABLONES. SOLO HA CAMBIADO LA CERRADURA."

"LOS CASEROS SE CREEN LOS DUEÑOS DE LA CIUDAD."
"ESTE LUGAR PARECE UNA MORGUE... LO CUAL TIENE CIERTA LÓGICA, YA QUE REFLEJA PERFECTAMENTE MI ESTADO DE ÁNIMO."
"¿POR QUÉ HE VENIDO AQUÍ? NO NECESITO NADA DE LO QUE HAY EN ESTE DESPACHO. ADEMÁS, SI ALGUIEN QUIERE ALGUNA VEZ QUE VUELVA A EJERCER COMO ABOGADO, BUENO..."

"...TENDRÁ QUE PEDÍRMELO CON SUMA AMABILIDAD E INSISTENCIA, ESO POR DESCONTADO."
"NUNCA ME HA GUSTADO ESTE TRABAJO. ESO DE TENER QUE AYUDAR A LOS CRIMINALES A SALIRSE CON LA SUYA... Y A ESOS MARIDOS Y ESPOSAS, QUE NO TIENEN EL VALOR DE VERSE CARA A CARA, A LUCHAR POR LA CUSTODIA DE SUS HIJOS..."

"ERA UN TRABAJO ASQUEROSO, PAPÁ. LO HACÍA POR TI."
"YO QUERÍA JUGAR COMO LOS DEMÁS CRÍOS. PERO TÚ... NUNCA ME DEJASTE..."

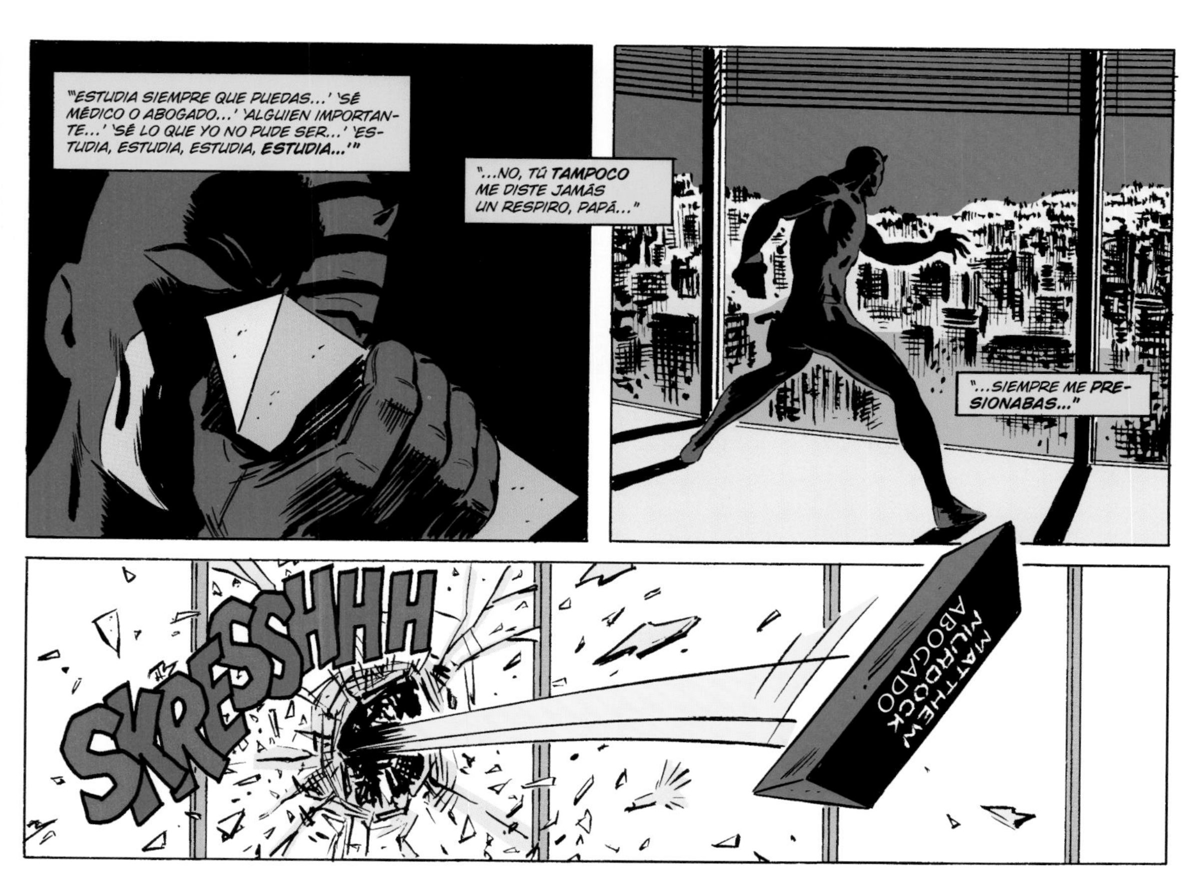

"LA ALARMA ANTIRROBOS SE DISPARA, COMO DEBE SER. PARA ESO PAGUÉ UN DINERAL POR SU INSTALACIÓN."

COMO ESTÁN EN BUENA COMPAÑÍA NO SIENTEN EL FRÍO QUE HACE EN LA UNIVERSIDAD DE COLUMBIA...
SUCEDIÓ AHÍ MISMO... CERCA DE LA BIBLIOTECA. EL PROTAGONISTA DE ESTA ANÉCDOTA ES UN ESTUDIANTE DE ÚLTIMO CURSO... LLAMADO BRAD BAILSON... QUE ME ESTABA HACIENDO LA VIDA IMPOSIBLE DURANTE MI INICIACIÓN EN OMEGA DELTA.
OMEGA DELTA ERA UNA FRATERNIDAD DEL CAMPUS. ES UNA ESPECIE DE CLUB DE ESTUDIANTES QUE...
OH, FOGGY. EN IRLANDA TAMBIÉN TENEMOS FRATERNIDADES...

SUPONGO QUE SÍ, AHORA QUE LO PIENSO. BUENO, A LO QUE IBA, LOS DE LA FRATERNIDAD ME OBLIGARON A COMETER UN MONTÓN DE ESTUPIDECES. PERO BRAD SIEMPRE ERA EL QUE ME AMARGABA LA VIDA.
RECUERDO QUE HABÍA UNA DESAGÜE BASTANTE ESTRECHO QUE IBA DEL SÓTANO AL RÍO, QUE YA NO SE UTILIZABA PARA NADA, Y, UN DÍA, LOS CHICOS DE OMEGA DELTA ME DIJERON QUE, BUENO, TENÍA QUE METERME EN ÉL.
JO, FUE UNA EXPERIENCIA ATERRADORA. AQUEL DESAGÜE ESTABA MUY OSCURO, Y ERA MUY ESTRECHO... ADEMÁS, YO ESTABA BASTANTE REGORDETE POR AQUEL ENTONCES. MATT ME DIJO QUE NO LO HICIERA. LA VERDAD ES QUE A MATT NUNCA LE INTERESARON LAS FRATERNIDADES...

ASÍ QUE AHÍ ESTABA YO, JADEANDO TODO APRETUJADO, Y, BUENO, POR LO QUE DEDUJE DESPUÉS, BRAD SE HABÍA HECHO CON UNA MANGUERA INDUSTRIAL CON LA QUE QUERÍA LLENAR DE AGUA EL DESAGÜE. LO CIERTO ES QUE PODRÍA HABERME AHOGADO AHÍ DENTRO.
PERO COMO DECÍA ANTES, ESO LO DEDUJE DESPUÉS, PORQUE NO ME OCURRIÓ NADA MIENTRAS ESTABA DENTRO DEL DESAGÜE. PERO CUANDO SALÍ, OÍ A TODO EL MUNDO REÍRSE... LÓGICAMENTE, PENSÉ QUE SE REÍAN DE MÍ...

...PERO NO ERA ASÍ, SE REÍAN DE BRAD, QUE ESTABA COLGADO DE LA VENTANA DE UN TERCER PISO. ALGUIEN LO HABÍA ATADO DE PIES A CABEZA CON AQUELLA MANGUERA. EN MI VIDA HE VISTO A ALGUIEN SOLTAR TANTOS TACOS SEGUIDOS. JO, FUE TAN GRACIOSO...
...A DÍA DE HOY, MATT AÚN NO HA ADMITIDO QUE ESO FUE COSA SUYA, NI ME HA CONTADO CÓMO LO HIZO. PERO SÉ QUE SOLO ÉL PUDO HACERLO... OJALÁ HUBIERAS CONOCIDO A MATT ENTONCES, GLORI... ERA...

NUNCA ME HABÍA FIJADO QUE ESTE SITIO ES MUY ROMÁNTICO DE NOCHE...
PUES SÍ, RESULTA BASTANTE EXTRAÑO, ¿NO?

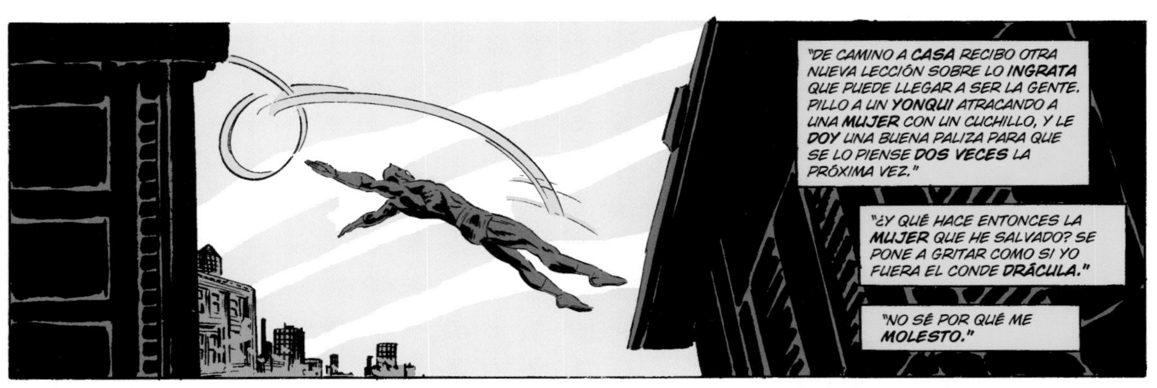
"DE CAMINO A CASA RECIBO OTRA NUEVA LECCIÓN SOBRE LO INGRATA QUE PUEDE LLEGAR A SER LA GENTE. PILLO A UN YONQUI ATRACANDO A UNA MUJER CON UN CUCHILLO, Y LE DOY UNA BUENA PALIZA PARA QUE SE LO PIENSE DOS VECES LA PRÓXIMA VEZ."
"¿Y QUÉ HACE ENTONCES LA MUJER QUE HE SALVADO? SE PONE A GRITAR COMO SI YO FUERA EL CONDE DRÁCULA."
"NO SÉ POR QUÉ ME MOLESTO."

"QUIZÁ COMETA UNA ESTUPIDEZ AL ENTRAR POR LA VENTANA YA QUE CUALQUIERA PODRÍA VERME. QUIZÁ DEBERÍA HABER USADO LA CLARABOYA. PERO, A ESTAS ALTURAS, YA ME DA TODO IGUAL."
"MI CONTESTADOR ZUMBA COMO UN MOSQUITO; ES SU FORMA DE DECIRME QUE TENGO MENSAJES. POR UN MOMENTO, ME PLANTEO LA OPCIÓN DE NO ESCUCHARLOS. ¿QUIÉN QUIERE OÍR MALAS NOTICIAS SI PUEDE EVITARLO?"

"BUENO, TAMBIÉN PODRÍAN SER BUENAS NOTICIAS. YA, CLARO. Y ESTE AÑO LA NAVIDAD SE CELEBRA DOS VECES."
BIIIIP MATT, SOY GLORI OTRA VEZ. QUERÍA... OH, DA IGUAL. CLIC
"OOOH. VAYA."

"UN MENSAJE. LLEVO TODO EL DÍA FUERA Y SOLO TENGO UN PUÑETERO MENSAJE."
"ENTONCES, SUENA EL TELÉFONO, QUE CHILLA COMO UNA ANCIANA. NO LO COJO. DEJO QUE EL CONTESTADOR GRABE EL MENSAJE. ESTOY EN MI DERECHO."
RING

"ADEMÁS, NO TENGO GANAS DE HABLAR CON FOGGY O GLORI O..."
...SOY MELVIN, SR. MURDOCK. MELVIN POTTER... HUM... NE-NECESITO SU AYUDA...
"TÚ... SIEMPRE NECESITAS MI AYUDA... COMO EL RESTO DEL MUNDO..."

...SÉ QUE CONOCE A DAREDEVIL... HUM... SI... SI PUDIERA PEDIRLE QUE... QUE FUERA AL MUSEO DIBNEY... NECESITO QUE... MIRE, NO QUIERO QUE...
...NO, NO LE DIGA ESO... SOLO DÍGALE QUE... QUE LO SIENTO... CLIC
"¿LO SIENTES, MELVIN? DESPUÉS DE TODO LO QUE HE HECHO POR TI..."

"...SUS SANDALIAS RASPAN LAS BALDOSAS DEL SUELO..."

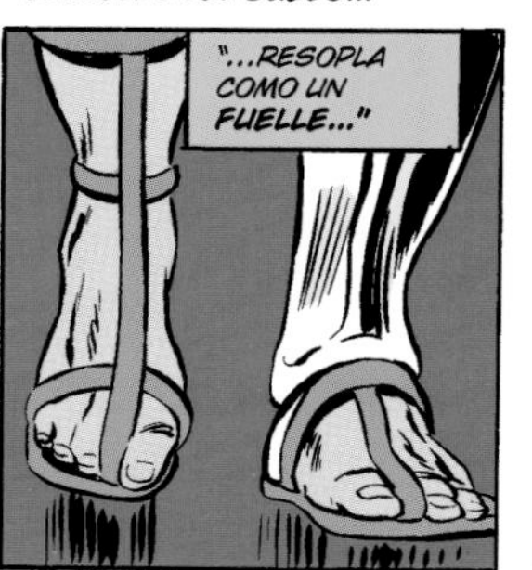

"...SIGUE MASCULLANDO CUÁNTO LO SIENTE..."

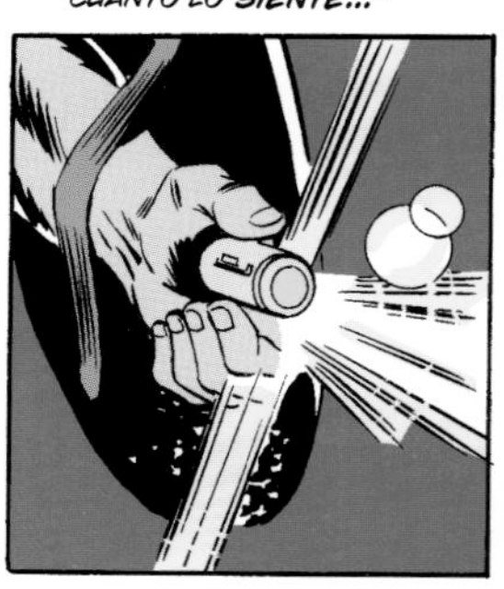

"...Y DEMUESTRA QUE SE SIENTE MUY APENADO..."

"GRUÑE COMO UN LEÓN HERIDO... POR SU REACCIÓN, CABRÍA PENSAR QUE SOY YO QUIEN LE HA TRAICIONADO."
"SE LE DESBOCA EL CORAZÓN... ESTO VA A SER PAN COMIDO. ESTÁ CLARO QUE NO SE HA MANTENIDO EN FORMA. ESTÁ BAÑADO EN UN SUDOR FRÍO POR CULPA DEL PÁNICO QUE LO ATENAZA. ESTÁ ASUSTADO, Y QUIERE HUIR. ENTONCES..."
"...SUELTO UNA RISITA AHOGADA."

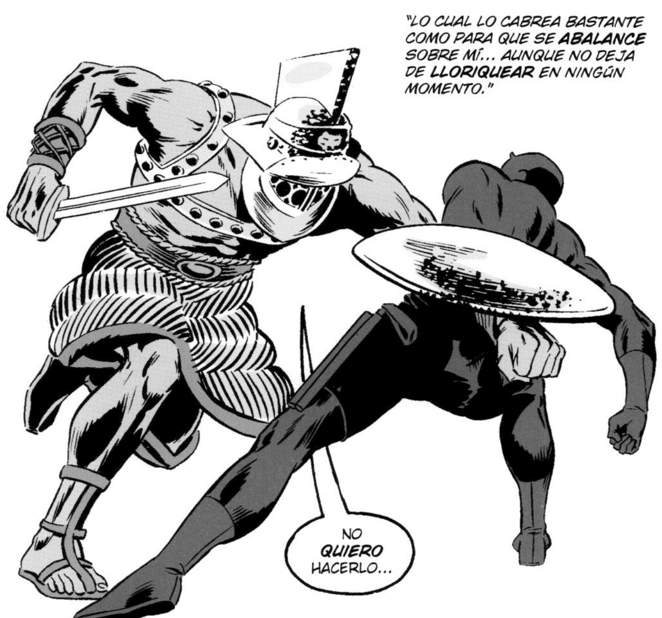
"LO CUAL LO CABREA BASTANTE COMO PARA QUE SE ABALANCE SOBRE MÍ... AUNQUE NO DEJA DE LLORIQUEAR EN NINGÚN MOMENTO."
NO QUIERO HACERLO...

KLUDD
YO SÍ.
SPANGG
NO DEBERÍAS...
...NO DEBERÍAS... NO TENDRÍAS QUE... NO ESTÁ BIEN...
THWOKK

"AL FIN, OBTENGO UNA RESPUESTA ADECUADA... SE CALLA Y SE PONE MANOS A LA OBRA..."
"...SE MUEVE COMO UNA LOCOMOTORA..."
"Y YO COMO UNA BALA."
WHOKK
CHUKK
THWAKK
"ES DEMASIADO FÁCIL. QUIZÁ MELVIN AÚN NO HAYA ENTRADO EN CALOR..."
"...PERO YO TODAVÍA NO HE EMPEZADO A SUDAR..."
FAPPP
"...NO, SÍ QUE HA ENTRADO EN CALOR... ME GOLPEA DESDE EL SUELO..."
"...PERO PARA CUANDO SU PUÑO IMPACTA CONTRA MI MANDÍBULA, PODRÍA HABERME LARGADO A LA OTRA PUNTA DE LA SALA..."
"...DEJO QUE ME PEGUE PARA MEDIR SUS FUERZAS..."
"...ESCUCHO CÓMO ESE ESCUDO SURCA EL AIRE VACILANTE HACIA MI TORSO..."
FUDD
"...RESPIRA COMO UN ASMÁTICO..."
"...ESTÁ DANDO TODO LO QUE TIENE, A PESAR DE QUE..."
"...NO TIENE NADA QUE DAR."

KRAKK

"ESE GOLPE DEBERÍA HABERLE ARRANCADO LA CABEZA... AL MENOS SE HA CABREADO Y ME EMBISTE COMO UN BUEY."
"Y CON LA MISMA RAPIDEZ E INTELIGENCIA QUE ESE ANIMAL..."
SKRAKK

"PROLONGO LA PELEA UN POCO MÁS DE LO NECESARIO, CON LA ESPERANZA DE QUE SE RECUPERE UN POCO."
"PERO HA PERDIDO SU CHISPA. LA PERDIÓ HACE AÑOS."
"YA NO ES EL QUE ERA. ESTÁ DEMASIADO OXIDADO."

"ME ABURRO Y DEJO QUE LAS ONDAS DE MI PROPIO RADAR PRIVADO ME PERMITAN HACERME UNA IMAGEN MENTAL DE ÉL MIENTRAS ARREMETE CONTRA MÍ COMO UN AFICIONADO."
"TENGO CUATRO FORMAS DE VENCERLO."

KLUNGGG
"ESCOJO LA COLUMNA."

"SE QUEDA AHÍ TUMBADO, LLORANDO, Y SE AFERRA A ESA COLUMNA COMO SI FUERA SU MADRE..."
"ME SIENTO COMO SI ME HUBIERAN ECHADO UN JARRO DE AGUA FRÍA AL RECORDAR A LOS MATONES DE LA COCINA DEL INFIERNO QUE CONVIRTIERON MI INFANCIA EN UNA PESADILLA..."
"...E INTENTO BUSCAR ALGUNA DIFERENCIA ENTRE LO QUE ELLOS ME HICIERON..."
...PARA YA... POR FAVOR...
"...Y LO QUE YO LE ACABO DE HACER A MELVIN POTTER."

...NO TE LO ECHO EN CARA... SOY MALO...
...PERO TENGO TANTO MIEDO, DIABLO... TIENEN A BETSY... -COF...- LA VAN A MATAR...
...ME DIJERON QUE TENÍA QUE ROBAR JOYAS POR VALOR DE UN MILLÓN, O SI NO LA MATARÍAN...

"CASI LE PREGUNTO POR QUÉ NO ME HA PEDIDO AYUDA."
NI SIQUIERA HE PODIDO PONERME EL DISFRAZ... ME REFIERO AL VIEJO... LO INTENTÉ PERO ME PUSE FATAL...
SI QUIERES DETENERME, HAZLO, DIABLO...
"NO PUEDO EVITAR ESTREMECERME AL PERCATARME DE QUE SÍ LO HA HECHO."

...PERO AYUDA A BETSY.
TE LO RUEGO.

"SE VIENE ABAJO... COMO CUALQUIER GRANDULLÓN, COMO SI SE HUNDIERA SOBRE SÍ MISMO."
"SIENTO QUE LA GRIS NEBLINA DE LA CONFUSIÓN ABANDONA MI MENTE POR PRIMERA VEZ..."

"ESO DESAGRADABLE QUE ME CORROE POR DENTRO SE LLAMA VERGÜENZA."
"AHORA DEPENDE DE MÍ ARREGLAR LA SITUACIÓN."

"...DONDE UNAS **PISADAS** RÁPIDAS Y NERVIOSAS RETUMBAN BAJO EL **RUGIDO** DISTANTE DE LAS PARTES MÁS **BULLICIOSAS** DE LA CIUDAD..."

"SE SORPRENDE TANTO QUE SE QUEDA **CALLADO.** LA LÍNEA PERMANECE EN SILENCIO UN PAR DE SEGUNDOS."

"CUANDO ME DICE QUE **SÍ,** PARECE QUE SEA ÉL QUIEN ME ESTÁ HACIENDO UN **FAVOR.**"

"CREÍ QUE APRECIARÍA EL GESTO. SÉ QUE YO EN SU LUGAR QUERRÍA DARLES SU MERECIDO."
"CUANDO LLEGAMOS, ESTÁN A PUNTO DE MATARLA..."
KRAKK
JO, TÍO...
¿QUÉ...?
OH, NO...
"MELVIN PROFIERE UN GRITO AHOGADO... AL INSTANTE, SIENTO CÓMO EL AIRE SE ELECTRIZA A MIS ESPALDAS... Y CUANDO HABLA..."
GUSANO...
THWAKK
"...LO HACE COMO NO LO HABÍA HECHO DESDE HACE MUCHO TIEMPO..."

"...DESDE LA ÚLTIMA VEZ QUE MATÓ A ALGUIEN."
GUSANO...

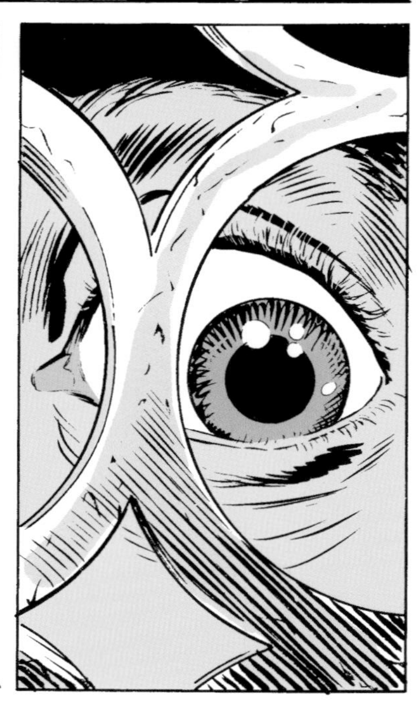

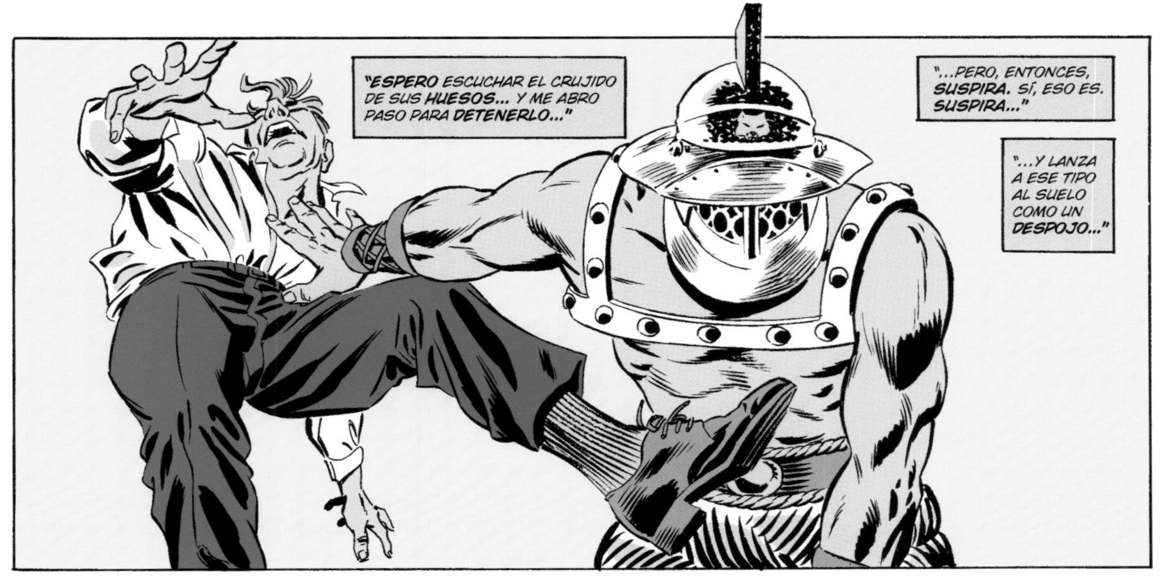
"ESPERO ESCUCHAR EL CRUJIDO DE SUS HUESOS... Y ME ABRO PASO PARA DETENERLO..."
"...PERO, ENTONCES, SUSPIRA. SÍ, ESO ES. SUSPIRA..."
"...Y LANZA A ESE TIPO AL SUELO COMO UN DESPOJO..."

"NO CAMINA COMO UN ASESINO..."
CHOKK

SKRAKK
"...NI COMO EL PATÉTICO SER QUE NO PARABA DE DISCULPARSE HASTA HACE UN INSTANTE..."
"...CAMINA COMO UN HOMBRE... COMO UN GRAN HOMBRE..."

WHUDD
"...HACIA LA MUJER QUE AMA."
BETSY.

"SI BIEN YO ESTOY DISPUESTO A REPARTIR **MÁS** CERA, YA NO QUEDA NADIE **EN PIE.**"
"POR ALGUNA RAZÓN, SIENTO COMO UN **MARTILLEO** EN LA CABEZA, QUE **AHOGA** SUS **VOCES** TAN **DISTANTES.**"

"**INTENTO** ESCUCHARLOS. LA VOZ DE ELLA ES **DULCE** Y ESTÁ LLENA DE **ORGULLO...**"

"...LA DE ÉL ES **GRAVE**, FUERTE Y **FIRME,** AUNQUE QUIZÁ ESTÉ LIGERAMENTE TEÑIDA DE **CULPA.**"

"PARECEN DARME LAS **GRACIAS.** Y YO PRONUNCIO UNAS CUANTAS **PALABRAS** A MODO DE RESPUESTA. ESPERO ESTAR DICIENDO LO CORRECTO."
"SE MARCHAN, Y ME QUEDO SOLO, CON LOS NUDILLOS ENSANGRENTADOS."

EPÍLOGO

DESPUÉS DE LA ÚLTIMA RELECTURA DE *DAREDEVIL: BORN AGAIN*

«Había dormido,
pero aún quedaba mucha luz en el cielo»
Jorge Luis Borges

Daredevil: Born Again es un final, la última historia de un superhéroe. Pero, ¿cómo se escribe el final de una historia que no tiene final, porque propiamente no es una historia? Los superhéroes son series, no novelas, y su lógica narrativa es muy distinta de la del drama clásico estructurado en tres actos: presentación, nudo y desenlace. En una serie, cada episodio es una célula completa que contiene toda la información necesaria para sobrevivir por sí misma, y que al mismo tiempo porta una carencia que nos obliga a buscar el episodio anterior y el posterior –y luego los siguientes– para subsanarla. Es decir, la serie es un modelo perfecto de literatura de consumo. Podríamos decir que para los superhéroes, el verdadero nudo está en su presentación –su origen– y que viven al borde de un desenlace perpetuo, un desenlace que siempre está a punto de llegar, pero que no llega, como un abismo que se elude continuamente. Y, sin embargo, el problema del fin era algo que se planteaba de forma urgente en el cómic de superhéroes de 1986, en un momento en que parecía que la ingenuidad infantil de los héroes míticos se derrumbaba bajo el peso del escepticismo postmoderno hacia los grandes relatos. De pronto, ya no nos podíamos creer aquello. Parecía que estaba todo hecho. El modelo se había agotado.

Los dos primeros autores que acudieron a dar una respuesta al dilema fueron el británico **Alan Moore** y el norteamericano **Frank Miller**. *Daredevil: Born Again* de Frank Miller y **David Mazzucchelli** (con el color de **Richmond Lewis** y **Christie Scheele**) es contemporáneo de *Batman The Dark Knight Returns*, del propio Miller (con **Klaus Janson** y **Lynn Varley**). Unos meses después llegaría *Watchmen*, de Moore, **Gibbons** y **Higgins**, y a principios de 1987 *Batman: Año Uno*, de nuevo con Miller, Mazzucchelli y **Lewis**. Estos títulos fueron crucia-

les para la reinvención del superhéroe, con una reformulación completa como no se había conocido desde 1961 con *Fantastic Four* #1. La coincidencia hizo que se asociara a Moore y Miller como los dos máximos representantes de una estrategia común. Nada más lejos de la realidad, pues uno y otro eran completamente opuestos. Moore nos explicaba por qué teníamos que dejar de leer tebeos de superhéroes; Miller quería convencernos de que teníamos que seguir haciéndolo.

De todas estas obras capitales, solo *Daredevil Born Again* reinventó el cómic de superhéroes dentro del modelo ortodoxo, sin recurrir a universos paralelos o ediciones especiales, sino insertándose en la continuidad de la historia canónica del personaje. Al fin y al cabo, *Born Again* es solo los números 227 a 233 de *Daredevil*. Pero es mucho más que eso, claro.

Todo está cifrado en el traje, el elemento más crucial y decisivo para definir a un superhéroe. **Michael Chabon** ha observado que «como el ser que lo lleva, el disfraz del superhéroe es, por definición, un objeto imposible. No puede existir». Pero estamos en los 80, ¿cómo nos van a interesar las cosas que no existen, cuando solo nos interesa el mundo material? (O eso cantaba Madonna). Esa tensión entre lo imposible y lo posible es la que recorre *Born Again*. ¿Cómo podemos hacer posible lo imposible? ¿Cómo podemos creer en el superhéroe? ¿Cómo podemos creer en un tío que va vestido con un traje que es, por definición, un objeto imposible que no puede existir?

Al comienzo de *Born Again,* Matt Murdock está desnudo y solo. Es lo que es, en su grado mínimo. Cuando su vida salta por los aires, víctima de las maquinaciones de su archienemigo Kingpin, recoge los restos del traje de entre los escombros de la casa. Son los jirones de su antigua vida, que no le abrigarán durante el vagabundeo que va a emprender a la intemperie. Antes de recuperar su traje, necesitará purgarlo, librarse de su dominio irracional, que tanto lo estaba perturbando ya antes del ataque de Kingpin. El exorcismo de la identidad secreta (su recuperación, después de haberla perdido al inicio de la historia) se escenifica en un combate singular entre Matt Murdock y Daredevil. Este es un psicópata a quien Kingpin ha mandado a matar al mejor amigo de Matt vestido con el traje del superhéroe. Cuando Murdock lo somete, está sometiendo a todo lo malo y absurdo que ha representado la división de su personalidad en el pasado. Recuperar el traje es recuperar la condición de superhéroe: hecho eso, ni siquiera lo necesita para presentarse ante el superhéroe que solo es un traje, que *esencialmente* es un traje y que, por tanto, es el superhéroe quintaesencial: el Capitán América. Ahora es Matt Murdock y es Daredevil a la vez. Ahora, y no de nuevo, sino por vez primera en su vida. En la última escena, Daredevil está vestido como una persona, y ya no está solo.

Born Again tiene los pies en la tierra, lo cual es mérito de David Mazzucchelli, que hace una síntesis del paradigma narrativo y visual clásico del comic book americano y lo lleva hasta tal extremo que, finalmente, no es capaz de seguir por ese camino. Después de *Born Again* y de *Batman: Año Uno*, Mazzucchelli abandonó el cómic de superhéroes y emprendió un largo viaje a través de la reflexión sobre el medio y la enseñanza, que le ha llevado a desembocar en una de las novelas gráficas más ambiciosas de los últimos años, *Asterios Polyp*. Efectivamente, por ese camino no se podía ir más allá de *Born Again*, y Mazzucchelli no era de los que buscan el éxito repitiendo fórmulas. En el momento en que pisó la cumbre, empezó a planear otra expedición.

Es el peso y la tridimensionalidad que Mazzucchelli otorga al mundo de *Born Again* lo que lo separa de *Sin City*, cuya semilla es fácil de rastrear en esta obra. Pero lo que Miller elaboraría posteriormente en una retórica idealizada de género negro romántico y excesivo, Mazzucchelli lo ata siempre a un mundo de cemento y saliva, por el que transitan personas adultas, las más adultas que se han visto nunca en el comic book americano. Como Ben Urich, el testigo implicado, el punto de vista humano, que servirá después como inspiración para que **Kurt Busiek** y **Alex Ross** armen *Marvels*, el más descarado intento de recuperación de la vieja esencia heroica durante la década siguiente. Insólita es, también, esa Karen Page espeluznante en su indestructible fragilidad. *Born Again*, como tantos cómics de aquel momento en otras partes del mundo (pienso ahora en *Taxista* de **Martí** y en *RanXerox* de **Tamburini** y **Liberatore**) sería impublicable hoy en día. Nuestra moderna moral conciliadora solo lo admite como brutal resto antropológico de cuando se podía decir y dibujar cualquier cosa. Incluso en el tebeo mensual de grapa de *Daredevil*.

El mundo al que Mazzucchelli ata la historia es el mismo Nueva York babilónico de las mejores películas de Scorsese, una ciénaga fragante donde un hombre bueno –el último hombre bueno– tiene que descubrir si de verdad se puede ser bueno en la gran ciudad. A la hora de la verdad, ¿estaremos a la altura? ¿O el Señor nos juzgará fallidos? Y sí, pensar esto es de locos si no te has criado con la catequesis de los domingos como Matt Murdock, de acuerdo. Pero, ¿entonces no hay locos *buenos* y locos *malos*?

La densidad de tramas y la credibilidad de los personajes de *Born Again* parece presagiar la ficción audiovisual del siglo XXI. Es un drama polifónico como *Los Soprano* o *The Wire* que no concluye –y esto es algo insólito en el cómic de superhéroes de todos los tiempos– con un enfrentamiento físico con el villano. Matt Murdock devuelve a Kingpin los golpes recibidos en la misma moneda en que los ha cobrado: a través del escándalo, a través del rastro de contactos corruptos y «la pista de papel»: todo está conectado. Al fin y al cabo, Kingpin es inmune al daño físico, como es inmune a la moral. Solo le afecta la economía. Como el gánster descrito por **Enzensberger**, es el mafioso como manifestación del capitalismo. En un sentido estricto, Kingpin ni siquiera es el mal. Es el sistema.

Por eso, el héroe solo puede ser un rebelde antisistema, un individuo que se niega a someterse al compromiso. Foggy Nelson es contratado por Kingpin, Matt Murdock pierde la licencia de abogado, es decir,

el permiso para operar dentro del sistema. Pero al perderla, gana. Es la herencia del objetivismo de **Ayn Rand** que le llegó a Miller a través del *Spiderman* de **Steve Ditko**.

Pero en el otro extremo del espectro espectacular, *Born Again* también se anticipa al cine de superhéroes del siglo XXI, el cine que *por fin* ha entendido los superhéroes, donde **Robert Downey Jr.** aporta una textura a su papel de Tony Stark que nos hace creer en el traje imposible, ese problema irresoluble durante décadas para la gran pantalla. Si Matt Murdock podía ser Daredevil vestido con vaqueros, entonces tal vez habría esperanza para un actor vestido con chaqueta de cuero. De pronto, los *X-Men* de **Bryan Singer** tenían sentido y detrás de ellos una legión asaltaba el castillo. Lástima que el propio Daredevil no fuera uno de ellos.

Curiosamente, resulta por el contrario difícil relacionar *Born Again* con los cómics de superhéroes de hoy en día. Con su viaje heroico, que va desde lo humano a lo épico, desde lo personal a lo colectivo, desde el suceso a la catástrofe, casi parece más fácil deslizarlo entre tres o cuatro recomendaciones de novela gráfica. Al fin y al cabo, también es contemporáneo del *Maus* de **Art Spiegelman**, la obra que prendió la chispa del cómic adulto de nuestros días. Pero esa, aunque también es una historia digna de contarse, es *otra* historia.

Nuestra historia, la historia que contábamos hoy, es, no nos olvidemos, la historia de un final. La historia de un final que no puede ser un final porque una serie no tiene final, como decíamos. ¿Cómo se cuenta entonces ese final? De la única manera posible: contando un principio. Renovando el mito, continuando el ciclo eterno, prolongando el apocalipsis en el origen, porque toda crisis es la muerte de algo y el principio de otra cosa. El último episodio de *Born Again*, en el que aparecen Los Vengadores –en su formulación más exacta: Capitán América, Thor, Iron Man– está dedicado a **Jack Kirby.** La dedicatoria funciona como un broche dorado, el epitafio de toda una época. *Daredevil: Born Again* es la culminación del modelo Marvel iniciado por Stan Lee y el propio Kirby, y también Ditko, a principios de los 60, el modelo que planteó por vez primera que había un hombre dentro del héroe, y que en su último capítulo acabó por contarnos que lo que había de verdad era un héroe dentro del hombre.

Santiago García
Autor de *La novela gráfica*

Daredevil #228 USA. Boceto de la página 2.

Daredevil #228 USA. Bocetos de las páginas 3, 5, 6 y 11.

Daredevil #228 USA. Boceto de la página 12.

Daredevil #228 USA. Bocetos de las páginas 14, 15, 17 y 18.

Daredevil #228 USA. Boceto de la página 19.

Daredevil #228 USA. Boceto de la página 20.

Daredevil #229 USA. Boceto de la página 14.

Daredevil #229 USA. Boceto de la página 19.

Daredevil #229 USA. Boceto de la página 20.

Daredevil #229 USA. Boceto de la página 21.

Daredevil #231 USA. Boceto de la página 18

Daredevil #231 USA. Boceto de la página 19.

Daredevil #231 USA. Boceto de la página 20.

Daredevil #231 USA. Boceto de la página 21.

Daredevil #232 USA. Bocetos de las página 12, 13, 14 y 15.